8
2/22

La France pour la vie

DU MÊME AUTEUR

Georges Mandel, le moine de la politique, Grasset, 1994.
Au bout de la passion, l'équilibre : entretiens avec Michel Denisot,
    Albin Michel, 1995.
Libre, Robert Laffont, 2001 ; Pocket, 2003.
La République, les religions, l'espérance : entretiens avec Thibaud
    Collin et Philippe Verdin, Cerf, 2004 ; Pocket, 2005.
Témoignage, XO, 2006 ; Pocket, 2008.
Ensemble, XO, 2007.

Nicolas Sarkozy

La France pour la vie

PLON
www.plon.fr

© Éditions Plon, un département d'Édi8, 2016
12, avenue d'Italie
75013 Paris
Tél. : 01 44 16 09 00
Fax : 01 44 16 09 01
www.plon.fr

ISBN : 978-2-259-24894-5

*L'archer est un modèle pour le sage.
Quand il a manqué le milieu de la cible,
il en cherche la cause en lui-même.*

Confucius, *Entretiens*

Prologue

Voici un peu plus d'une année que je suis revenu dans la vie politique. Je sais que nombre d'observateurs avisés, et même de mes amis, se sont interrogés sur la pertinence de ce choix. Qu'allait-il faire dans cette galère ? Jamais personne n'a réussi un tel retour ! Pourquoi ferait-il demain ce qu'il n'a pas fait hier ? Que signifie ce besoin de revanche ? Je pourrais continuer la litanie de tout ce qui a été écrit ou dit. La liste est longue. Et, au final, je comprends que ces interrogations soient soulevées. Toutes d'ailleurs ne sont pas sans fondement, et méritent que je m'y arrête. C'est justement l'objet de ce livre qui doit me permettre de parler aux Français comme je ne l'ai jamais fait. Leur parler d'une partie du passé que nous avons vécu ensemble, du présent et de ses contingences, et surtout de l'avenir. Celui de notre pays, celui de chaque Français, celui de leurs enfants. De ce que nous avons collectivement à redouter et de ce que nous pouvons espérer. Car j'ai la conviction que, malgré les immenses difficultés auxquelles nous sommes confrontés, il y a encore à espérer et à croire dans le futur. La France n'est pas fichue. La France n'est pas finie. La France n'est pas qu'une nostalgie.

Dans ces pages, j'ai mis toute mon expérience de la vie et de la politique. J'ai essayé de ne pas biaiser, de ne pas mentir, d'aller au bout de tout ce en quoi je crois, d'être le plus sincère possible sur le jugement que je porte sur moi-même, sur les uns et les autres, et sur les idées que je voudrais voir triompher de toutes mes forces. Pour ce combat, mon énergie demeure intacte.

Ce livre n'est pas une déclaration de candidature à la prochaine élection présidentielle. Il est trop tôt. Il n'a pas davantage vocation à traiter toutes les thématiques de la campagne de 2017. Ce dont je suis certain en revanche, c'est qu'il faudra que l'alternance ait lieu. Et si ce n'est pas nous, ce sera, hélas, la présidente du Front national. L'enjeu est donc historique, tant l'exaspération, le désespoir et la colère peuvent pousser une majorité de Français vers le pire.

* * *

Il y avait trois raisons à mon retour en politique. Tout d'abord, la France qui subissait les coups d'une politique socialiste qu'aucun autre pays européen n'a eu à connaître avec un tel aveuglement. Le seul chiffre des 48 milliards d'augmentation d'impôts subie depuis 2012 donne le vertige. Quelle économie à travers le monde pouvait résister à une telle charge ? Ensuite, le Front national dont l'influence ne faisait que croître pour atteindre des niveaux inimaginables. Songeons que, dans le seul département du Vaucluse, c'est près d'un électeur sur deux qui a voté, lors des dernières régionales, pour Marion Maréchal-Le Pen, c'est-à-dire contre tous les autres. Enfin, ma famille politique qui menaçait d'imploser à la suite de l'affrontement sans merci entre François Fillon et Jean-François Copé. Pas de leader, pas de ligne, pas d'unité. Juste le choc quotidien des ego et des haines. Tout le monde voulait devenir président à tout prix, personne n'en avait, pour le moment, la légitimité. Comment dans ces conditions pouvais-je me laver les mains des événements qui allaient survenir ? Un pays qui va dans le mur. Une extrême droite conquérante. Une opposition sans organisation et sans règles. Telles étaient les trois variables de l'équation qu'il me fallait tenter de résoudre durant cette année passée.

L'affaire était d'autant plus compliquée par le fait que trois scrutins étaient prévus durant cette même période. Le premier qui, pour être interne à l'UMP, ne fut pas une partie de plaisir pour autant. Lorsque je présentai ma candidature à la présidence de mon parti, la presse parla à juste titre et une nouvelle fois du « tous contre Sarkozy ». Bruno Le Maire fut un concurrent loyal et combatif, et Hervé Mariton fidèle à ses convictions. Je fus élu au premier tour avec 64,5 % des suffrages. Ce qui fut présenté par le consensus général (comprenne qui pourra) comme un piètre score.

Au printemps dernier, ce fut le tour des élections départementales. Pour les observateurs, elles se présentaient assez mal avec pas moins d'une dizaine de départements susceptibles de passer au Front national. Au résultat, nous l'emportâmes dans les deux tiers des départements, et le Front national ne réussit à en conquérir aucun. Logiquement le succès ne m'en fut pas crédité car, chacun le sait, si la victoire est collective, l'échec est orphelin.

Vint enfin le moment des élections régionales. Le premier tour fut mauvais avec une poussée spectaculaire du parti de Marine Le Pen. Le second à l'inverse fut assez bon puisque nous réussîmes à l'emporter dans pas moins de huit régions, dont cinq furent conquises en triangulaire. Dans ces huit régions, il y avait notamment les deux plus peuplées, l'Île-de-France et Auvergne-Rhône-Alpes. Nous dirigeons désormais la majorité des régions françaises, alors qu'avant ces élections nous n'en avions qu'une. Je fus surpris par la nature des commentaires. Car en définitive nous étions – et surtout j'étais – les grands perdants. Je fis même la une d'un hebdomadaire sous le titre « Le vrai perdant ». Qu'est-ce que cela aurait été si nous avions vraiment perdu ? La gauche fut félicitée pour son attitude républicaine, ayant retiré ses candidats dans deux régions, Provence-Alpes-Côte d'Azur et Nord-Pas-de-Calais, où elle était pourtant sortante. On oublia souvent de rappeler qu'elle en était arrivée là après le piètre score du parti socialiste enregistré au premier tour, respectivement de 16 % et 18 %, ce qui n'était ni plus ni moins qu'un désastre dans ces fiefs de la gauche depuis de nombreuses années. Il s'ensuivit une période troublée, confuse, fébrile, où nombre d'acteurs perdirent tout à la fois repères et bon sens. Avec habileté et sans le moindre scrupule, le pouvoir tendit un piège grossier à la droite qui pour une petite partie s'y précipita, alors même que la gauche avait été durement sanctionnée par les électeurs. « La modernité » devait désormais conduire chacun des acteurs de la démocratie française à faire un pas l'un vers l'autre. Pour lutter contre le chômage, le plus efficace serait alors une politique économique de gauche et de droite. Un peu de chacun pour être certain de ne rien oublier. L'idée est certainement sympathique, mais elle est fausse. En tout cas à l'inverse des choix radicaux qu'appelle la situation économique désastreuse que connaît notre pays. Ce mélange des genres ne peut conduire qu'à des compromis bancals sans aucun résultat tangible. De surcroît, cette attitude ouvrirait un boulevard au Front national devenu alors seul en mesure d'incarner une véritable alternance.

Le mythe du « cela irait mieux » si les meilleurs de chaque camp se mettaient ensemble au service d'une politique de rassemblement se heurte au mur de la réalité. Car cette démarche requiert, pour fonctionner, le consensus systématique, c'est-à-dire l'exact contraire de la démocratie qui impose à chacun d'aller, par la confrontation, au bout de ses idées afin de donner le meilleur de lui-même et de permettre aux citoyens de choisir en toute clarté. Le débat d'idées est salutaire, utile, nécessaire. L'exemple de nos voisins allemands illustre assez bien cette problématique. Ce n'est pas faire offense à Angela Merkel, pour qui j'éprouve admiration et amitié, d'affirmer que les impressionnants succès allemands en matière économique sont bien davantage le résultat de l'action conduite par Gerhard Schröder à la tête d'un gouvernement homogène social-démocrate que celui de la grande coalition qui, ne pouvant fonctionner que par consensus, a dû s'interdire des décisions pourtant nécessaires mais trop clivantes. Je pense notamment à l'étonnant arrêt du nucléaire au profit du charbon, infiniment plus polluant.

Or la France ne peut en aucun cas se payer le luxe de la perte d'un temps qui lui échappe, d'autant plus que les autres pays avancent bien plus vite qu'elle. Au fond, la manœuvre de la gauche était aussi habile que perverse. Pendant des décennies, tous ceux qui ne pensaient pas « socialiste » pensaient donc faux, ou injuste, ou sans cœur. Eh bien, désormais, on peut ne pas penser à gauche, mais à la condition que cela soit avec la gauche. Ai-je besoin de préciser que je m'opposerai toujours à cette tentation de la facilité qui ne créera que davantage de confusion et de désillusions dans une démocratie française qui n'a besoin ni de l'une ni des autres ?

Ce fut un autre sujet de réflexion pour moi que de constater combien la gauche savait être unie chaque fois qu'une responsabilité ou un poste de pouvoir était en jeu, et combien la droite ne savait pas résister à la tentation de la discorde ou de la désunion dans le même cas de figure. Sans doute l'appétence des médias pour les voix dissonantes joue-t-elle un rôle. Peut-être aussi notre attachement à l'idée même de liberté nous fait-elle nous méfier instinctivement de tout risque d'embrigadement. Quoi qu'il en soit, il s'avérera toujours plus difficile d'unir la droite que la gauche, et ce alors même que nos différences de fond sont infiniment plus ténues.

La lecture des résultats des régionales révéla une autre conclusion bien utile pour déterminer notre cap futur. Partout où nous avions investi une tête de liste solidement ancrée à droite, le Front national fit ses scores les plus faibles, et il recula même entre le premier et le second tour. Dans la grande majorité des régions où les électeurs pouvaient s'interroger sur l'ancrage à droite de nos candidats, le résultat fut inverse. Quelle meilleure preuve que si la droite ne s'affiche pas vraiment comme telle, c'est d'abord la gauche et le Front national qui en profitent ? Cela ne signifie pas bien sûr que tout doit se réduire à un affrontement entre la gauche et la droite. Pour le moins, cependant, cela témoigne d'un ardent besoin, peut-être même d'un réel désir d'une alternance franche, complète, profonde. Là se trouve la clé de tout. Si nous arrivons à convaincre de notre volonté de porter cette rupture franche, alors nous l'emporterons. Dans le cas contraire, il faudra s'attendre au pire.

Ce désir d'alternance est doublé d'une nécessité qu'ont parfaitement illustrée les événements tragiques de la fin de l'année dernière. Le 13 novembre 2015, les Français ont vécu l'inimaginable, l'inconcevable, l'inacceptable. Des jeunes Français exprimaient la haine de leur pays, de leurs concitoyens, de ce qui aurait dû être leur culture. Ils ont assassiné d'autres Français. Tous les tabous furent levés, toutes les limites dépassées, toutes les règles bafouées. La société française fut littéralement sous le choc, comme interdite devant ce spectacle qui la chavira de tristesse et de révolte. L'effroi fut d'une telle profondeur que les comportements de nos compatriotes en seront, j'en suis convaincu, durablement affectés. Le besoin d'autorité et de fermeté n'a jamais été revendiqué et exigé à ce point. Il nous faut bien prendre la mesure de cette exigence qui n'a rien de superficiel. François Hollande le constatera à ses dépens à la suite de ses hésitations sur toutes les questions de sécurité : on ne peut à la fois mettre en scène sa « fermeté » et conserver Mme Taubira en charge de la politique pénale. On ne peut jouer sans risque avec la certitude des Français que nous avons tous, moi compris, été trop laxistes avec des comportements que la France ne peut plus tolérer. Comment le président de la République peut-il être dans cette totale contradiction, qui le conduit à conserver une garde des Sceaux chargée d'appliquer une politique qu'en fait elle ne partage pas. Qui pourra décemment prétendre que la sécurité des Français est entre de bonnes mains ?

Je suis persuadé qu'il y aura bien un avant et un après-13 Novembre. Plus encore que pour les attentats de janvier 2015, la violence du drame du Bataclan et des terrasses de café parisiennes a libéré la parole des Français et débridé une exigence d'action qui était comme latente jusqu'à présent.

C'est ainsi qu'il convient d'interpréter le message du premier tour des régionales. La communauté nationale exige désormais que la République ne recule plus, qu'elle défende une identité, un mode de vie, une culture, une langue française qu'elle ne veut pas voir disparaître. Qu'il ne s'agisse en aucun cas de paroles, de discours, de promesses, mais de faits immédiats, tangibles et sans ambiguïté. Cela ne signifie nullement que la France soit devenue un pays extrémiste ou populiste, mais qu'elle a maintenant conscience que, en continuant à laisser aller les choses trop loin, elle finirait par mettre en cause son existence même. Car c'est bien de cela qu'il s'agit.

C'est pourquoi je suis convaincu que rien n'est plus important pour l'opposition dans son ensemble que de consacrer les quelques mois qui nous mèneront à l'été prochain à proposer aux Français les contours précis – et exigeants – d'un nouvel ordre républicain. Il ne s'agit plus simplement d'évoquer une rupture salutaire mais plutôt d'engager la refondation d'un système et de politiques aujourd'hui à bout de souffle. Les quatre dernières années socialistes ont considérablement accru l'urgence et la profondeur des changements à mettre en œuvre.

Cette conviction va me conduire à faire évoluer assez sensiblement la façon dont j'ai exercé mes responsabilités depuis mon retour, il y a maintenant treize mois. J'ai jusqu'ici privilégié, et je ne le regrette pas, l'impératif du rassemblement. Je dois maintenant me consacrer à l'exigence de la clarté. Les divisions avaient été si exacerbées dans ma famille politique qu'il m'a d'abord fallu apaiser, rassurer, écouter. J'y ai consacré beaucoup d'énergie et de patience. J'ai pris sur moi de ne pas réagir pour ne penser qu'à l'unité de notre famille politique. Cela a, j'en suis conscient, désorienté nombre de mes proches qui ne me reconnaissaient plus. Mais c'était le prix à payer pour redresser la barre et faire de nouveau exister une opposition devenue atone à la suite de ses innombrables querelles fratricides.

La situation a aujourd'hui changé, non que les jalousies se soient évaporées, mais il y a désormais une structure solide, celle des Républicains, et une règle qui ne pourra pas être contestée, celle des primaires. Ces dernières ont été définies, et même financées. Il y a déjà de nombreux candidats. La concurrence va pouvoir se dérouler sans drame et selon un calendrier précis. Dès lors, mon rôle n'est plus le même. Je veux maintenant être celui qui garantira la profondeur et la force du débat d'idées. Je veux que la droite et le centre aillent jusqu'au bout de leurs nécessaires refondations idéologiques. Je veux que nous ayons en toute clarté les débats que nous n'avons pas eus dans le passé de peur d'accroître nos divisions. Car ce système a trouvé ses propres limites. L'ambiguïté n'est plus de mise. Les compromis ne sont plus acceptables au regard de la gravité de la situation. Ainsi, si je crois toujours à la nécessité pour le centre et la droite de vivre ensemble dans la même famille, je ne suis pas pour autant devenu centriste. Il est temps de franchement répondre à la question de qui nous sommes et de ce que nous voulons.

Au fond, tant mieux qu'il y ait des discussions, des débats voire des divergences sur des sujets aussi majeurs que ceux qui concernent la nation, les frontières, les transferts de souveraineté, l'Europe que nous souhaitons, la place de l'État, la conception de l'identité nationale ou la profondeur des changements économiques que nous appelons de nos vœux. Une nouvelle fois, je veux affirmer que les demi-mesures, les compromis hasardeux, les ambiguïtés habiles ne doivent plus avoir leur place dans notre projet d'alternance. La raison de ce changement complet d'état d'esprit ne réside pas seulement dans la gravité de la situation, mais également dans la conviction qui m'habite qu'il nous faudra mettre en œuvre scrupuleusement tout ce sur quoi nous nous serons engagés, et que, à l'inverse, nous ne pourrons pas faire ce que nous aurions dissimulé par prudence ou tout simplement par lâcheté.

Dans les mois qui viennent, j'irai à la rencontre des Français pour écouter, bien sûr, mais aussi pour échanger et débattre de toutes ces questions.

Tout dire avant le grand rendez-vous de 2017 pour tout faire après, telle est bien, me semble-t-il, la seule stratégie possible pour être à la hauteur des défis qui attendent la France.

1

Deux années de (presque) calme

6 mai 2012 – 19 septembre 2014, un peu plus de deux années de (presque) calme ! Cela ne m'était pas arrivé depuis les élections européennes de 1999 que j'avais perdues et qui avaient entraîné ma démission de la présidence du mouvement gaulliste.

Depuis 2002, je n'avais cessé d'enchaîner les responsabilités et les campagnes. Quatre ans au ministère de l'Intérieur, presque une année aux Finances, cinq à l'Élysée, et avec cela deux candidatures à la magistrature suprême. Dire que j'avais besoin de souffler serait une litote. Sans même m'en rendre compte – je ne suis décidément pas très doué pour l'écoute de moi-même ou des autres... –, j'ai fini épuisé physiquement et mentalement. Ce n'est pas tant le travail qui fatigue, pas davantage les responsabilités, mais plus sûrement la déferlante incessante des attaques, des critiques, des cruautés petites et grandes qui finissent par user les tempéraments les plus aguerris. Il ne s'agit en aucun cas de me plaindre, la démocratie a ses règles et le pouvoir emporte ses conséquences. J'étais averti. Je m'y étais préparé, mais, sauf à être un monstre d'insensibilité, ce dont je suis bien loin, il est tout simplement impossible de faire abstraction de cet environnement. Ne serait-ce d'ailleurs qu'à cause des conséquences inévitables sur la famille qui souffre pour vous comme vous souffrez pour elle. C'est la raison qui m'a fait le plus hésiter quant à la pertinence de mon retour. Avais-je le droit de leur imposer cela une nouvelle fois ? Je n'ai toujours pas de réponse définitive.

Cercle vicieux, indomptable et destructeur qu'il est impossible de bien gérer, ou même de gérer tout court. La seule solution étant d'essayer de construire une bulle aussi étanche que possible que viendront régulièrement enfoncer les « bonnes âmes » qui, avec les meilleures intentions du monde, portent quotidiennement à votre connaissance les pires vilenies que vous aviez essayé sans succès de ne voir ni d'entendre.

De ce point de vue, les deux années qui ont suivi mon départ ont été heureuses. Aux orages de la présidence, à la déferlante des crises, aux tourments des guerres succédait une période d'apaisement. Une prise de recul forcée par ma défaite, mais pas subie. Au fur et à mesure des semaines, j'ai senti que je reconstituais mes forces. C'était comme une régénérescence. Pour moi qui avais si longtemps redouté l'échec, je devais maintenant l'affronter. Il ne me faisait plus peur puisqu'il était là. Je craignais la vie après la politique. Je me demandais même s'il y en avait une. Eh bien, maintenant, je sais, sans le moindre doute, que la réponse est oui. Force m'est de reconnaître que cet échec de 2012 m'a apaisé, obligé à chercher en moi des possibilités que j'ignorais et m'a sans doute débarrassé de tant d'impatiences inutiles autant que dérisoires.

J'ai pu donner à ma famille la priorité qu'elle méritait. Je lui dois tant. J'en ai tant besoin. Elle m'ancre dans l'existence. J'aime si peu la solitude. Ma famille est ma force et mon talon d'Achille. Ceux qui veulent m'attaquer le savent bien, ils savent frapper là où cela fait mal. Je n'ai jamais réussi à dissimuler mes sentiments. La cruauté à l'endroit de ceux que j'aime m'est tout simplement insupportable. J'ai si longtemps souffert, en tout cas enfant, de ne pas avoir la famille dont je rêvais que je suis prêt à tout pour protéger la mienne de façon presque obsessionnelle. C'est pour cela que j'ai voulu épouser Carla si rapidement en 2008. Comme les événements ultérieurs l'ont montré, installer sa compagne à l'Élysée sans l'épouser est juridiquement possible, politiquement acceptable, mais humainement désastreux pour celle qui se trouve ainsi exposée à toutes les attaques sans avoir aucun moyen de répondre. Je n'ai pas aimé que l'on fît de Valérie Trierweiler le bouc émissaire idéal, car placée dans cette situation bancale dont elle n'était pas responsable, elle ne pouvait pas se défendre.

Je sais que, à l'époque, nombreux furent ceux qui ne comprirent pas et même jugèrent déplacé mon « empressement matrimonial ». Et pourtant c'était bien la façon la plus digne et la plus simple d'éviter à Carla un statut injurieux, en tout cas à mes yeux, de « maîtresse officielle ». On m'a moqué pour avoir dit : « Avec Carla, c'est du sérieux. » C'est pourtant ce qui nous a permis d'éviter les photographies volées, les sous-entendus graveleux, le machisme habituel en ce genre de situation. Un éditorialiste a même écrit qu'à afficher mon bonheur personnel je commettais une grave erreur aux yeux des Français qu'il décrivait dans le même mouvement comme foncièrement jaloux. Cela n'avait pas empêché le même journaliste, quelques mois auparavant, de gloser sur mes déboires familiaux qu'il ne se gênait pas pour porter à la connaissance du grand public. Je ne crois en rien à cette fable sur la jalousie française. Le peuple de France déteste l'hypocrisie, le mensonge, la dissimulation. Il respecte l'amour quand il est vrai, les histoires d'amour lorsqu'elles sont sincères. J'en avais eu la conviction en 1994 lorsque François Mitterrand, avec la complicité de *Paris Match*, avait révélé l'existence de sa fille Mazarine et de sa double famille. À l'époque, les Français furent touchés par la fierté si évidente d'un père, fût-il Président, pour sa fille. J'ai ressenti la même émotion nationale au moment des obsèques de l'ancien Président, lorsque Danielle Mitterrand avait pris dans ses bras Mazarine.

Ma famille est ma force. Je me suis toujours senti en profonde adéquation avec la dernière phrase du héros de *Into the Wild* à qui Sean Penn fait dire : « Le bonheur n'est réel que lorsqu'il est partagé. » Je ne dirai pas cela du pouvoir, mais du bonheur, oui. Lire un livre, regarder un film, écouter de la musique, tout simplement vivre au quotidien avec celui ou celle que l'on aime, qu'y a-t-il de plus important dans sa vie intime ? À mes yeux, rien. La vie est faite pour aimer. Je ne serai jamais un « monstre froid », il faut s'y faire ! C'est sans doute pourquoi, depuis huit ans, je n'ai jamais eu le sentiment d'être seul malgré la dureté du pouvoir et l'ingratitude de la défaite. J'ai partagé le bonheur avec les miens et supporté bien des épreuves grâce à eux.

* * *

J'ai pu mesurer combien la fonction de président de la République est à ce point différente de toutes les autres. J'ai mis du temps à le comprendre d'abord, à le vivre ensuite. Car avec l'exercice de la présidence, on entre dans le quotidien des Français. Pour certains, j'ai été élu le jour où leur enfant est né. Pour d'autres, je suis arrivé à l'Élysée le matin de leur mariage ou du baptême du dernier-né. Comme des photos dans le grand livre de famille, ces souvenirs se teintent de nostalgie et créent un lien qui peut même désarmer la critique une fois que le pouvoir se décline au passé. C'est sans doute cela qui a permis à tous les anciens Présidents d'être infiniment plus populaires « après qu'avant ». À la différence de Jacques Chirac, je ne crois pas que la raison se trouve dans le fait qu'ils « ne font plus rien », mais bien davantage dans le sentiment qu'ils appartiennent à la grande famille nationale, et même qu'ils sont des acteurs du roman national.

J'aime le contact humain. J'adore discuter, convaincre, argumenter. Ma curiosité est insatiable. Jamais je ne me suis lassé de ces innombrables occasions de rencontres que m'a généreusement offertes la politique. Longtemps j'ai été comme aimanté par la foule, le public, les salles combles. Jamais je n'ai ressenti la moindre lassitude avant de monter en scène, de prononcer un discours ou plus souvent d'improviser un propos. Voir les gens, parler avec eux, les regarder vivre est sans doute, au fond, la grande motivation de ma vie. Enfant, je rêvais de rencontrer mes héros : les chanteurs, les sportifs, les vedettes… J'attendais des heures à la porte d'un hôtel de province pour glaner un autographe griffonné sur un bout de papier et le rapporter dans ma chambre comme un trésor. Aujourd'hui encore, jamais je ne refuse un selfie ou une signature à quiconque en souvenir du petit garçon si naïvement admiratif que j'étais. Et pourtant, cela paraissait si loin, à l'époque, d'imaginer ce que la vie et le destin me réserveraient. Je rêvais d'être connu mais pas si haut, pas si vite, pas si fort. Voilà pourquoi je n'ai jamais éprouvé la moindre amertume. J'ai conscience de ma chance. D'aussi loin que je me souvienne, je n'ai jamais éprouvé de ressentiment durable ou, pire encore, de haine à l'égard de qui que ce soit. Je suis ainsi fait. J'essaie d'oublier et de ne pas attacher une grande importance à tous ces propos excessifs et enflammés dont j'ai si souvent été l'objet. Je suis un combattant. Je sais me battre. Je pense même que j'aime me battre, mais je ne garde aucune trace de ces batailles perdues ou gagnées. Je tourne la page, sans nostalgie et sans le moindre besoin de revanche. Cet état d'esprit vaut pour tous, et dans toutes les situations, professionnelles comme privées.

Contrairement à ce qui est quotidiennement dit et écrit, j'éprouve exactement la même chose à l'endroit de mon successeur. Je n'ai envers lui ni amertume ni détestation. Je n'ai avec lui aucun compte à régler, aucune vengeance à assouvir. Que l'on me croie ou non, peu importe, car c'est la vérité. J'essaie, bien sûr, d'être lucide. Je connais son habileté à manipuler et à préparer des pièges. Je sais, comme ses amis au nombre desquels je ne suis pas, combien il sait dissimuler, masquer, parfois même travestir la vérité. Mais je le répète, je n'éprouve aucune inimitié à son endroit. D'ailleurs, l'engagement politique, au plus haut niveau, exige que l'on sache se tenir, ou plutôt se contenir. Cela implique notamment d'arriver à ne pas donner à certains sentiments une couleur trop vive, on y perdrait son énergie, sa dignité et surtout son chemin. Jeune, il a pu m'arriver de « détester ». À soixante ans maintenant, ce serait puéril. J'ajoute également : inutile, car les sentiments comme la haine ou la jalousie sont inextinguibles. On n'en est jamais rassasié. Mieux vaut donc ne pas aller boire à cette source, sauf à prendre le risque certain de s'y noyer. Le besoin de revanche n'entre en rien dans mon retour à la politique. Le souci de mon « statut » encore moins. Je n'ai aucune place à défendre et moins encore à revendiquer. Je suis beaucoup plus libre et distant qu'on ne le croit avec les ambitions que l'on me prête. Je suis tout à fait capable de vivre une autre vie. Mais je ne supporte pas l'idée du déclassement de la France.

* * *

Avoir été président de la République ne donne aucun droit particulier, mais, et c'est vrai pour tous les anciens Présidents, cela crée un lien particulier avec les Français. Qu'il y ait de l'amitié ou du ressentiment, ce lien existe. C'est lui qui donne un statut à nul autre semblable. Chacun de nos compatriotes a ainsi une idée ou une anecdote, un reproche, un souvenir, un contentieux avec l'ancien locataire de l'Élysée. Il y a un attachement, une relation faite de nostalgie ou de souvenirs communs, c'est certain. L'Histoire, la grande, s'entremêle ainsi comme une marqueterie, avec les petits éclats de l'histoire personnelle de tous. En devenant Président, on s'inscrit dans la vie des Français pour le meilleur et pour le pire. Le choix d'être candidat à la présidence de la République ne doit rien au hasard. Il ne peut être que le fruit d'une volonté arrêtée de longue date. Un long, très long processus semé d'embûches et d'épreuves multiples. On ne s'y frotte pas sans s'y piquer, parfois profondément. Ma décision s'est ancrée très jeune, à la fin de mon adolescence. Depuis, j'y ai consacré toute mon énergie. Cela fait bien longtemps que la France a conduit toute ma vie, a sollicité toutes mes forces, a orienté tous mes rêves. Je n'y peux rien. C'est ainsi. Avant même d'y réfléchir, je me suis senti français. La France coule dans mon sang et m'a toujours porté à voir plus loin et plus haut. J'ai renoncé à m'expliquer ce sentiment. Il me suffit aujourd'hui de constater la permanence de cette réalité pour l'accepter. Français je suis, français je mourrai. J'aime vivre en France, penser en français, être de France. Je dirais même que ce ne fut pas un choix mais plutôt le résultat d'une identité. Sans doute étais-je fait pour cet engagement politique total !

J'ai commencé mon propos en évoquant ces deux années et demie de « (presque) calme ». C'est vrai, mais en réalité un peu rapide. Durant cette période d'accalmie, éloigné des affaires publiques, j'ai connu et je continue d'affronter des épisodes judiciaires. Il n'est guère aisé d'évoquer ces derniers en toute liberté sans surjouer. Il serait stupide de ma part de songer à apitoyer qui que ce soit. Dans le rôle de la victime expiatoire, je n'aurais guère de crédibilité. Je veux juste m'en tenir aux faits qui, eux, ne peuvent pas être contestés, pour raconter ce que j'ai vécu et, surtout ce que j'ai appris.

Au fond, cela devrait être un parcours initiatique obligé pour toute personne aspirant à exercer les responsabilités du pouvoir de se retrouver, un jour, dans la peau du « gibier », c'est-à-dire de celui qui, quoi qu'il dise, quoi qu'il fasse, devient à un instant donné coupable, forcément coupable. J'ai beaucoup appris, car j'ai souffert, plus qu'on ne peut le penser, de ces épisodes. J'ai d'abord éprouvé un sentiment tellement profond d'injustice que je voulais m'exprimer sans retenue, avec la force que donnent l'indignation et la colère. J'étais si profondément révolté que rien ne pouvait m'apaiser. Puis, curieusement, et de façon insidieuse, j'ai fini par me demander si je n'étais pas coupable d'une partie de ce dont on m'accusait. Aussi étonnant que cela puisse paraître, un sentiment de culpabilité vous gagne peu à peu dans ce genre de situation. Et il faut vraiment demeurer concentré, faire un effort très profond, pour revenir aux faits, expliquer sans relâche et trouver la force de convaincre de son innocence. Car aujourd'hui, devant le tribunal médiatique, ce n'est plus la culpabilité qu'il faut démontrer pour l'accusation, mais l'innocence qu'il faut prouver pour la défense. Le sinistre Saint-Just de 1793 avait donc raison avant les autres quand il assénait sa terrifiante maxime :

« Prouvez votre vertu ou entrez dans les prisons. »
Ainsi peut courir la calomnie. Sans cesse légitimée par
le fameux dicton : « Il n'y a pas de fumée sans feu. »
J'ai fini par détester cette idée, et désormais je vois dans
tout accusé l'innocent qui se cache peut-être. J'ai compris l'horreur que pouvait représenter l'erreur judiciaire
pour celui qui en est la victime. Je déteste l'acharne-
ment. Je me méfie des donneurs de leçons. Je me sens
proche des victimes expiatoires. Je ne joindrai plus ma
voix au concert des justiciers d'opportunités.

Comme par un étonnant hasard, en pleine campagne
présidentielle de 2012, je me suis donc trouvé accusé
simultanément d'avoir abusé d'une vieille dame et d'avoir
été financé par l'un des pires dictateurs de ce début
de siècle. Dans un premier temps, je n'y ai pas prêté
attention, tant tout cela me paraissait grotesque. La
suite montrera que j'ai eu bien tort. Et pourtant, pour
« l'affaire Bettencourt », après trois années d'enquête,
vingt-deux heures d'interrogatoire et de confrontations,
quatre perquisitions, deux déplacements au tribunal de
Bordeaux, des milliers d'articles écrits à charge démon-
trant la quasi-certitude de ma culpabilité, des centaines
d'insultes des « implacables procureurs » de la gauche
bien-pensante… j'obtins un non-lieu. En ce qui concerne
Éric Woerth, ce fut une relaxe. Tout ça pour ça, serait-
on tenté de dire. Mais ce serait trop facile, car pendant
une journée on a certes parlé de mon non-lieu, avant
que tout finisse par tomber dans l'oubli… Moi, je n'oublierai jamais ces trois années où, dès qu'un micro se
présentait, il me fallait expliquer pourquoi je n'avais pas
reçu illégalement de l'argent des Bettencourt.

Quant à l'affaire Kadhafi, c'est au mépris du bon sens le plus évident que je me suis trouvé emporté dans une nouvelle tourmente. Car enfin, j'avais conduit, avec le soutien d'une cinquantaine de pays, la guerre de libération de la Libye. Celle-ci ayant duré dix mois, si Kadhafi avait eu le moindre élément contre moi, pourquoi ne l'aurait-il pas utilisé de son vivant ? On a donc attendu sa mort pour fabriquer un document sur ce prétendu financement et le publier entre les deux tours de l'élection présidentielle. La justice fera litière de ces accusations. Je n'en ai aucun doute. Mais combien faudra-t-il d'années ? Qu'ai-je fait pour être accusé aussi odieusement ? Certes, je ne suis pas de gauche, et je n'ai pas l'intention de le devenir. Mais est-ce une raison suffisante ? Cette gauche qui n'a à la bouche que les mots « Droits de l'homme », « État de droit », « transparence », « exemplarité » semble tout oublier, tout renier, tout saccager lorsqu'il s'agit d'un homme de droite (et spécialement de moi). La présomption d'innocence devient la présomption de culpabilité. Jamais je ne demanderais à mes amis d'agir ainsi avec nos adversaires. Ce déferlement de boue ne fait gagner personne, au contraire, il abaisse chacun et détruit la confiance pourtant si nécessaire des Français envers la politique et ceux qui la font. C'est ce qui explique que nous fûmes « sur la réserve » lors de l'affaire Cahuzac. Certains de nos électeurs nous le reprochèrent, car nous étions à leurs yeux trop faibles ; d'autres, quelques éditorialistes, mettaient cette réserve sur le compte de notre co-culpabilité, comme si, tous, nous avions eu un compte en Suisse !

Je n'ai pourtant nulle intention de changer. Je reste convaincu que le combat politique ne peut ni tout justifier ni tout autoriser. Je n'ai jamais eu le tempérament d'un comploteur. J'ai toujours détesté cette façon de faire et méprisé ceux qui y avaient recours.

Je ne reprendrai pas la litanie de toutes les « affaires » : ce n'est ni le bon cadre ni le bon moment. Je voudrais juste faire trois remarques qui me semblent utiles pour le futur.

La première, c'est qu'il m'est souvent arrivé de penser qu'il ne devait pas y avoir de si graves problèmes de délinquance en France pour qu'il soit possible de mobiliser, à plein temps, une vingtaine de magistrats, des dizaines de policiers, des moyens techniques exceptionnels, juste pour passer au crible ma vie professionnelle et personnelle. On a même été jusqu'à mettre tous mes téléphones sur écoute pendant des mois. J'ai été géolocalisé pendant des semaines, car il s'est trouvé une juge de Marseille pour me suspecter d'avoir participé à un trafic de cocaïne avec la République dominicaine. Il est vrai qu'il existait contre moi un indice « précieux », j'avais commis l'« imprudence » d'utiliser plusieurs mois auparavant un avion de la même compagnie que celle qu'empruntèrent les trafiquants ! Vous voilà prévenus : avant de monter dans un taxi, vérifiez bien l'honnêteté des passagers qui vous ont précédé. L'affaire est aujourd'hui terminée. De quoi pourrais-je me plaindre ? Tout simplement d'avoir fait l'objet d'une enquête si approfondie en violation du bon sens le plus évident...

Et il faut encore que je démontre mon innocence quant à ma prétendue volonté d'avoir cherché à « corrompre » toute la chambre criminelle de la Cour de cassation. De nouveau, j'ai été mis sur écoute, et cette fois ce sont les conversations avec mon avocat qui ont été violées. Rien que cela. La base de notre État de droit. Peu importe. Et peu importe le fait que tous les magistrats interrogés de la chambre criminelle de la Cour de cassation démentent formellement avoir eu le moindre contact avec Gilbert Azibert, et que tous les responsables monégasques affirment que je ne suis pas intervenu pour que ce dernier obtienne un poste de conseiller d'État. Peu importe aussi qu'une des deux juges d'instruction en charge de mon dossier soit membre du Syndicat de la magistrature dont personne n'ignore, depuis le fameux « Mur des cons », en quelle grande estime ils me tiennent.

Restera enfin à me défaire du dossier Bygmalion. Là encore, on aura sans doute du mal à le croire, c'est pourtant, je le jure, la stricte vérité : je ne connaissais rien de cette société jusqu'à ce que le scandale éclate. Cette dernière fut choisie par la direction du parti de l'époque pour organiser la sonorisation et les images de mes meetings. Un ingénieux système de fausses factures fut découvert entre Bygmalion et l'UMP, prenant ma campagne comme prétexte. À aucun moment le directeur de ma campagne, Guillaume Lambert, n'a couvert ou encore émis une quelconque fausse facture. Je n'ai jamais eu la moindre réunion avec les dirigeants de Bygmalion. Quant aux mythes d'une campagne de 2012 qui s'est emballée, il sera aisé de lui tordre le cou avec ces chiffres : en 2007, j'ai fait 67 meetings, en 2012, 48. Où est l'emballement ?

Vue sous tous ces angles, ma dangerosité pour la société doit avoir été jugée exceptionnelle. Qui, dans la classe politique française, aura jamais été soumis à un tel traitement ? Ne cherchez pas : personne. Fera-t-on un jour le bilan pour les contribuables du coût de ces multiples enquêtes qui n'ont mené et ne mèneront à rien ? Quelqu'un rendra-t-il compte un jour de cette débauche d'énergie, de moyens, de procédures ? Le pire de tout, c'est que, chaque fois que je suis sorti blanchi, il en est toujours resté quelque chose, car la calomnie va son chemin. On ne peut ni la contenir ni l'arrêter.

La deuxième remarque tient à mes relations avec le corps judiciaire. Je n'arriverai jamais à comptabiliser le nombre de fois où l'on m'a dit : « Certes, ils en font trop contre toi, mais tout de même, tu n'aurais pas dû les comparer à des "petits pois". Ils se vengent, et c'est humain. » Passons sur la notion curieuse de « vengeance » pour un juge. J'espère, et je veux croire, que, dans leur immense majorité, ils n'en sont pas là, car cela serait alors l'exact contraire de la sérénité nécessaire à toute justice en charge d'établir les responsabilités. Je tiens pourtant à m'expliquer sur ces mots sortis de leur contexte et instrumentalisés, même si je conviens qu'ils n'étaient pas des plus heureux.

Je les ai prononcés un jour de rentrée solennelle de la Cour de cassation. Sans doute maladroitement, j'ai voulu expliquer pourquoi j'avais choisi Rachida Dati comme garde des Sceaux. Désigner une jeune magistrate née d'un père algérien et d'une mère marocaine pour faire appliquer la loi était à mes yeux un double symbole heureux. D'abord, cela signifiait que, quelles que soient ses origines, on pouvait être ministre, et que tout le monde pouvait avoir un rêve de réussite sociale. Ensuite, c'était dire à tous les jeunes confrontés aux risques de la délinquance que, en France, il n'y a qu'une seule justice sans *a priori* racial ou social. Emporté par ma démonstration, j'ai conclu en parlant de la diversité de la France à laquelle devait correspondre la diversité dans le recrutement des magistrats, qui ne devaient pas tous se ressembler comme... On connaît la suite. Encore une fois, la phrase était malheureuse, je ne la prononcerais plus ainsi, mais l'intention était noble et même juste.

Résultat, nombre de magistrats furent blessés, Rachida Dati fut mécontente d'être « réduite » à ses origines et, plus grave, la cause juste que je défendais fut encore moins comprise. Finalement, j'avais tout faux. Ce fut bel et bien une erreur.

Et pourtant, au cours de ces dernières années, faisant abstraction de ce contexte, je n'ai cessé d'affirmer ma confiance dans l'institution judiciaire. Ce n'est pas seulement une formule obligée dans la bouche d'un ancien Président qui ne peut se laisser aller à critiquer un corps si important pour l'équilibre de la société. Cette confiance repose aussi sur les nombreux témoignages que je n'ai cessé de recevoir de tant de magistrats choqués par certains excès, et surtout conscients de leurs responsabilités envers le pacte social. J'ai été conforté dans ce sentiment par ma rencontre avec le juge Van Ruymbeke. On ne peut pas dire que les *a priori* entre nous étaient favorables. J'avais été blessé par ce que j'imaginais avoir été son attitude durant l'affaire Clearstream.

Il me convoqua au printemps dernier, très exactement le 20 mai 2015, dans l'affaire des pénalités concernant ma campagne présidentielle de 2012, qui furent décidées par le Conseil constitutionnel présidé par Jean-Louis Debré dont la détestation à mon endroit est bien connue. Après six heures d'un interrogatoire précis et poussé dans le cabinet du juge, le magistrat, accompagné de son collègue René Grouman, leva la séance et demanda quinze minutes de réflexion. Une fois le délai écoulé, je réintégrai son bureau. Debout, il me regarda droit dans les yeux et me dit sans emphase et sans détour : « Vous ne serez pas mis en examen. Vous nous avez convaincus. » J'étais soulagé, moins à propos du fond du dossier qui ne m'inquiétait guère que parce que j'avais la preuve qu'il était possible de convaincre un magistrat. Que j'avais été jugé non pour ce que je représentais, ni pour ce que j'étais, mais sur les faits et seulement les faits. Pour celui qui observe les événements de loin, cela peut sembler normal voire banal. Pour moi, ce fut comme une éclaircie. Avoir le droit de s'expliquer avant d'être condamné. Je n'y croyais plus. J'ai pu recommencer à croire en l'impartialité des magistrats. J'imagine le courage qu'il a fallu au juge Van Ruymbeke pour ne pas offrir mon « scalp judiciaire », pourtant attendu avec tant d'impatience.

Au-delà des cas particuliers et des aléas d'une justice humaine, donc forcément faillible, restera la grave question de la politisation et de la syndicalisation des magistrats. Chacun, du plus modeste au plus fameux, est en droit d'attendre un procès déconnecté des influences politiques incompatibles avec l'idée que l'on se fait d'une démocratie authentique. Il serait cependant illusoire de vouloir interdire aux quelque 8 000 magistrats de France d'adhérer à des organisations en charge de la défense de leurs intérêts, qui pour être corporatistes n'en sont pas moins légitimes. Le problème n'est donc pas celui de la syndicalisation, mais bien de la politisation de ces syndicats. Le Syndicat de la magistrature, encore une fois bien connu pour son fameux « Mur des cons » où j'occupais une place de choix, avait non seulement appelé à voter lors de la dernière élection présidentielle pour le candidat de la gauche, mais de surcroît contre moi, utilisant à mon endroit les propos injurieux que l'on sait. Dans ces conditions, quelle peut être la crédibilité en matière d'impartialité d'un magistrat instructeur membre de ce syndicat et responsable de l'instruction à charge mais aussi à décharge contre moi ? Dire cela, ce n'est pas mettre en cause l'institution. Ce n'est pas douter de l'intégrité professionnelle des magistrats, c'est faire preuve de bon sens. Je ne suis certes pas au-dessus des lois, mais je ne dois pas davantage être au-dessous !

Oui, donc, à des syndicats de magistrats, non à leur politisation. Ces derniers devraient se voir interdire toute prise de position politique, officielle comme officieuse.

Je dois reconnaître que la question de la politisation des organisations syndicales ne concerne pas que la justice. Chaque fois qu'un syndicat se comporte en parti politique, il ne fait ni plus ni moins que trahir sa mission première au service des salariés et fonctionnaires français qui mériteraient d'être mieux représentés et surtout mieux défendus.

On critique souvent et à juste titre le fonctionnement de la démocratie politique. Mais c'est encore pire pour la démocratie sociale dont les pratiques devront être revues de fond en comble. J'aurai l'occasion d'y revenir.

Ma troisième remarque tient à l'humeur de notre époque, à la fascination pour la transparence, à l'idée devenue obsessionnelle de démolir tout ce qui marche, gagne, réussit, fonctionne. Dans ce gigantesque « ball-trap », la première victime, c'est la démocratie elle-même qui ne sait plus à qui se fier, qui croire. Dans la curée médiatique quotidienne, les faits ne comptent plus, les commentaires pas davantage, puisque le seul baromètre désormais est l'intensité du « buzz » – comprenez le fracas que l'information du moment va produire, qu'elle soit vraie ou fausse devenant anecdotique. Les journalistes trop souvent inquiets à l'idée de ne pas avoir la dernière info préfèrent affirmer l'erreur plutôt que de prendre le temps d'une vérification minimum. Les exemples sont légion, mais que LCI en mars 2015 ait pu annoncer : « Notre patron est mort » en parlant de Martin Bouygues, au moment même où ce dernier coulait des moments de quiétude heureuse dans une thalasso, est proprement déconcertant quand on sait que pas moins d'une vingtaine de personnes à TF1 comme à LCI ont le numéro de portable de Martin Bouygues ! Il ne devait donc pas être impossible pour des journalistes dont c'est le métier de vérifier la dépêche de l'AFP annonçant son décès.

Les commentaires télévisés lors du dernier Tour de France furent à l'image du moment que nous vivons. La dernière mode consistait à discourir sur les « moteurs électriques » intégrés dans le cadre des vélos des coureurs. Nul ne les avait vus ! Personne n'avait même le début du commencement d'une preuve, mais chacun se faisait un devoir d'en parler et surtout de donner son avis. Du coup, la rumeur est devenue un fait, et le fait un débat médiatique. Le vainqueur du dernier Tour de France, Froome, fut abondamment sifflé.

Pour avoir eu la chance de suivre le jeune et talentueux Romain Bardet dans les Alpes jusqu'à Saint-Jean-de-Maurienne, je puis vous affirmer avec certitude en voyant sa souffrance de si près que son seul moteur, c'étaient ses jambes, son talent et surtout son courage.

Que l'on ne se méprenne pas, il ne s'agit bien sûr pas de dénier d'une quelconque façon le droit de la presse à investiguer. Encore moins de contester le devoir des responsables que nous sommes à rendre des comptes, mais attention de ne pas attiser les sentiments les plus bas qui, pour appartenir à toutes les sociétés humaines, n'en sont pas moins délétères. Qui va gagner à la salissure généralisée ? Qui survivra à la détestation de tous par tous ? Quelle société sommes-nous en train de construire ?

Je crois, pour ma part, et à rebours de la mode du moment, que chacun a le droit à ses petits secrets qui sont comme autant de trésors ou de failles. Être un personnage public n'autorise pas tout. Ne justifie pas tout. Je crois au caractère sacré du respect de la vie privée.

J'avoue éprouver une immense lassitude à voir chacun rivaliser de détails croustillants sur ses habitudes ou son patrimoine. Mme Taubira nous a même gratifiés d'un « grand secret » dans sa déclaration de patrimoine. Elle possède un vélo. Avec cela on est rassuré, la société française est bien gérée. Au bout de cette logique, le détail devient l'essentiel, et l'essentiel l'anecdotique.

Par ailleurs, je suis certain que tout ne doit pas devenir objet de lynchage. Que tout ne se vaut pas. L'anecdote ne remplacera jamais le débat en profondeur sur les défis de plus en plus complexes que notre société doit relever. Notre démocratie ne peut sans risque ne s'intéresser qu'à la surface des problématiques. Notre société ne peut être guidée par les seuls ressentiments fondés sur un égalitarisme exacerbé, sur un voyeurisme sans limites, ou sur une volonté obsessionnelle de nivellement.

Cette course morbide à la détestation de tous par tous a fini par créer un malaise profond. Beaucoup de jeunes Français ressentent aujourd'hui ce malaise, se demandant s'ils peuvent toujours espérer réussir dans leur propre pays.

Il y a vingt ans, un jeune Québécois rêvait de venir faire ses études en France. Aujourd'hui, c'est l'inverse, ce sont les jeunes Français qui aspirent à poursuivre leurs études universitaires à Montréal, à New York, à Londres ou à Shanghai. Cette inversion de tendances doit nous interpeller. Nul besoin de chercher l'explication bien loin. Il ne s'agit ni d'un problème technique, ni d'une question d'organisation ou de professionnalisation des filières universitaires, mais d'une interrogation beaucoup plus fondamentale de la partie la plus jeune et la plus dynamique de notre pays sur les rapports malsains qu'entretient notre société avec l'ambition, l'argent, la réussite, la récompense, le travail.

Pourquoi vouloir travailler davantage si, pour finir, on ne peut en tirer qu'un avantage anecdotique pour soi-même ou sa famille ? Pourquoi chercher à s'élever socialement et professionnellement si cet effort, loin d'être considéré, sera regardé avec méfiance par la société, l'Administration, les censeurs de tous poils et de tous grades ?

En juin 2006, François Hollande avait dit sentencieusement qu'il n'aimait pas les riches, précisant même que, à ses yeux on était « riche » à partir de 4 000 euros de revenus mensuels. Passons sur le fait que je ne suis pas certain qu'un Français ayant 4 000 euros de revenus se considère comme « riche ». Essayons d'aller plus au fond des choses. D'abord, ce n'est finalement qu'une forme de discrimination que de désigner à la vindicte une catégorie de la population. Lorsque l'on veut devenir Président, on se doit de considérer, de respecter et de s'intéresser à chacun. J'ai moi-même eu grand tort, lors d'une visite au Salon de l'agriculture, de céder à la provocation en répondant à l'individu qui m'avait insulté : « Casse-toi, pauvre c… » Ce fut une erreur, car il avait le droit de penser ce qu'il disait, même s'il n'avait pas à me le dire ainsi. Mais, en lui répondant, je me suis mis à son niveau. Ce fut une bêtise que je regrette encore aujourd'hui. En agissant ainsi, j'ai abaissé la fonction présidentielle. Pour être humaine, ma réaction n'en était pas moins inappropriée : j'ai appris à mes dépens qu'avoir du caractère n'autorise pas tout.

Le plus choquant dans la posture du candidat Hollande, c'est qu'elle traduisait un rapport profondément malsain avec l'argent. Un peu comme l'avait été en son temps la déclaration de François Mitterrand sur « l'argent qui corrompt ». Professer une telle détestation de l'argent habituelle pour l'intelligentsia de gauche, en général en contradiction complète avec ses habitudes de vie, relève de la névrose. Détester l'argent ou l'idolâtrer revient finalement à la même chose : placer l'argent au cœur de tout. Or l'argent est un moyen qui ne mérite ni tant d'indignité ni tant de révérence. Vouloir gagner davantage n'est pas un signe de déséquilibre. Vouloir plus pour sa famille est une démarche normale. Le Président du même nom pourrait l'admettre. Cette névrose au sommet de l'État n'est pas sans conséquence sur l'humeur de la société. Alors que je demandais à un jeune médecin de Tourcoing combien il recevait de patients chaque jour, il me répondit : « Une trentaine », tout en précisant aussitôt que ce n'était pas pour gagner davantage. Devant mon étonnement, il éclata de rire en ajoutant qu'il avait oublié que c'était moi « en face de lui, et pas un autre ». Je croyais volontiers cet homme au dévouement remarquable. Mais fallait-il que la pression soit forte pour éprouver le besoin de se justifier d'une chose aussi naturelle que de vouloir un meilleur revenu pour sa famille ? Qui aurait pu se permettre de le lui reprocher ?

J'ai souvent été caricaturé à propos de mes rapports supposés avec l'argent. Le *Nouvel Obs*, à l'époque défenseur vigilant des Droits de l'homme et adversaire déterminé de toutes formes de racisme, avait titré pendant ma présidence « Sarkozy et l'argent ». Mme Aubry à la même période m'avait qualifié de « Madoff » de la politique, soulignant au passage mon tropisme américain. Le piège était censé se refermer ainsi. Pressentant une détestation partagée des Français pour l'argent, m'associant à ce dernier un peu à la manière de ce qui fut dit des Juifs pendant des siècles, je ne pouvais qu'être fasciné par la cupidité et donc n'agir que pour « amasser ».

La vérité est bien sûr tout autre. Si j'avais eu l'argent pour moteur, jamais je n'aurais consacré ma vie à l'action politique. J'ai eu beaucoup d'opportunités dans le privé, aussi bien pour diriger que pour créer ma propre entreprise. En 1995 déjà, le grand banquier Antoine Bernheim m'avait proposé de fonder une nouvelle banque d'affaires à ses côtés. En 2013, j'ai été tenté de créer mon propre fonds d'investissement. Mais tentation n'est pas action. Chaque fois – et il y eut bien d'autres opportunités –, j'ai décliné ces offres. La sincérité d'un homme réside bien davantage dans ce qu'il fait que dans ce qu'il dit. Mes actes prouvent sans contestation possible que l'appât du gain, la volonté de s'enrichir ou d'entasser des biens matériels n'ont jamais été déterminants dans ma vie.

Pour autant, j'assume et je revendique ma différence avec nombre de responsables politiques. Je ne me sens pas étranger avec les acteurs de l'économie en particulier et de l'entreprise en général. N'ayant pas fait l'Ena, ignorant des avantages de la haute Fonction publique à laquelle je n'ai jamais appartenu, j'aime et j'admire ceux qui sont capables d'entreprendre. J'apprécie la compagnie de tous ceux qui ne se sont pas contentés d'avoir une idée mais qui en outre ont su la mettre en œuvre. J'avoue être bluffé par tous ces gens qui, partis de rien, ont su créer une entreprise. J'ignore la jalousie, et je peux sans fin interroger sur le pourquoi et le comment tous ces acteurs de l'économie entrepreneuriale qui sont des bâtisseurs.

Au fond, j'admire tous ceux qui ont su réaliser ce dont je n'ai pas été capable moi-même. Je trouve chez eux une curiosité, une ouverture au monde, une souplesse d'esprit et même, souvent, une humilité qui se font plutôt rares chez tant de membres de nos élites politico-administratives. Ce n'est donc pas l'argent qui m'intéresse, mais les ressorts profonds d'une femme ou d'un homme capable de réaliser un projet qui met ainsi sa vie en adéquation avec ses rêves d'adolescent. J'aime bien davantage ceux qui « font » que ceux si nombreux qui expliqueront jusqu'à la fin combien ils auraient aimé faire sans en avoir jamais eu la volonté.

Je voudrais terminer à propos de cette question en évoquant les « conférences rémunérées » auxquelles j'ai été invité et auxquelles j'ai participé. Je professe sans doute une très grande naïveté. Mais jamais je n'aurais imaginé que ces conférences provoqueraient la moindre polémique. Je n'étais plus Président. Mes hôtes appartenaient exclusivement au secteur privé. Nul argent public dans tout cela. Et j'avais pris la précaution de n'accepter de tels événements qu'en dehors de la France ou venant d'organisateurs étrangers pour éviter tout conflit d'intérêts. Cette prudence n'a servi à rien. Dès la première conférence, je me suis retrouvé sur la sellette.

Deux années de (presque) calme

Tous ceux qui n'avaient jamais été invités à de tels événements s'empressèrent alors de présenter leur abstinence comme une marque de vertu. Il est pourtant bien difficile de refuser ce que l'on ne vous a pas proposé.

En juin 2012, le principal agent international de conférenciers, le Washington Speakers, me proposa d'entreprendre une nouvelle carrière, celui de conférencier international. J'étais intéressé mais dubitatif. Six mois après mon départ de l'Élysée, intéresserais-je encore quelqu'un ? Mon niveau d'anglais de l'époque rendait bien complexe une éventuelle rencontre avec des publics ne maîtrisant que cette langue. Je me mis donc immédiatement à l'ouvrage pour combler cette carence. Et le résultat, sans être à la hauteur de mes efforts intenses, fut satisfaisant puisque, sans être « absolument *fluent* », je peux désormais comprendre et échanger dans la langue de Shakespeare. Ce fut l'une des grandes satisfactions personnelles de mon après-présidence. J'ai compris à cette occasion que le seul moyen de demeurer « jeune », en tout cas d'esprit, était de continuer à faire l'effort d'apprendre. J'ai gardé cette soif absolument intacte.

À ma grande surprise, je m'adaptai à mon nouveau métier avec intérêt, plaisir et rapidité. Les invitations se multiplièrent. J'eus ainsi l'opportunité de parler devant des Coréens à Séoul, des Brésiliens à São Paulo, des Chinois à Shanghai... Partout dans le monde, j'eus l'occasion de nombreuses rencontres. J'ai même éprouvé, je le reconnais, une certaine fierté à parler devant un public international si divers. La transition avec la vie politique se faisait ainsi plus douce. Bien sûr, il ne s'agissait plus de l'adrénaline des meetings, mais tout de même je renouais avec le plaisir de m'adresser à des audiences nombreuses. La passion de convaincre ne m'avait pas quitté. Il n'y avait là rien de répréhensible, et encore moins d'amoral. D'autres l'avaient fait avant moi : Clinton, Blair, Aznar, Schröder. Pour moi, si français dans ma vie politique, c'était à la fois un honneur et une belle surprise. Certes, à cette occasion, j'ai gagné de l'argent, mais je ne l'ai dérobé à personne. De plus, j'ai payé des impôts en France. Je n'ai donc rien coûté aux contribuables. Alors pourquoi cette polémique ? Sans doute parce qu'elle correspondait à la stratégie des socialistes de diabolisation de l'argent et de tous ceux qui l'incarnent, au premier rang desquels je devais être.

Envers et contre tout, je veux redire qu'il est sain qu'un homme politique puisse gagner de l'argent par lui-même une fois sa carrière terminée ou interrompue. Qu'il est plutôt rassurant que certains de nos responsables soient capables de faire leurs preuves dans le privé, qu'ils sachent ce que signifient les « exigences » d'un client, qu'ils comprennent les aléas d'une action commerciale, qu'ils soient conscients que le chiffre d'affaires ne va pas de soi, qu'il convient de se battre pour le conquérir ou juste le conserver. Le modèle politique français ne peut plus fonctionner autour de la seule sphère administrative. Comment donner toute sa place au secteur privé si l'on en ignore tout ? J'ajoute que le fait d'être devenu financièrement indépendant me donne une liberté vis-à-vis de la politique que je n'ai pas toujours eue. Aujourd'hui, j'ai le choix. Je n'ai plus aucun mandat législatif ou municipal, et par ailleurs ma fonction de président des Républicains est entièrement bénévole. Je tiens à souligner qu'au cours de cette première année de présidence je n'ai pas fait prendre en charge par mon parti un seul de mes déjeuners ou dîners de travail. Je n'en tire aucune gloire bien entendu, mais ainsi les amateurs de détails seront servis.

J'ajoute enfin que je ne goûte guère ce misérabilisme professé par tant de donneurs de leçons de morale dès qu'il s'agit de parler de la rémunération d'un élu, d'un député, d'un sénateur, d'un maire. Si l'on souhaite pour son pays la meilleure classe politique possible, il faut songer à attirer dans la carrière les jeunes les plus brillants, de profils différents venant notamment du privé, des personnalités n'ayant aucune fortune personnelle, car la vie politique doit permettre à ceux qui l'entreprennent en professionnels de faire vivre décemment leur famille. Dans le cas contraire, les responsables seront tous exclusivement fonctionnaires, c'est-à-dire derrière leurs statuts ou retraités, vivant de leurs pensions. Il ne faudra pas se plaindre alors de la profusion des lois faisant la part belle au secteur public contre le privé.

Au risque d'être à contre-courant, je veux dire mon opposition à la démagogie du mandat unique. Si nous sommes pour le « travailler plus », pourquoi vouloir que les politiques travaillent moins ? Croit-on qu'il suffira d'interdire à un élu d'avoir deux mandats pour que, subitement, doté d'un seul, il trouve l'imagination et l'énergie qu'il n'avait pas avec deux ? Et surtout il suffit de penser au cauchemar que représenteront nos deux assemblées composées exclusivement de législateurs ne disposant d'aucun mandat local, disponibles vingt-quatre heures sur vingt-quatre pour voter de nouvelles lois. On peut s'attendre sans craindre d'être démenti à une fameuse inflation législative. Quant à nos territoires déjà bien mal en point, ils se verront interdire la possibilité d'envoyer l'un de leurs élus locaux au Parlement. Et c'est tout le leadership local qui en sera anéanti. Qui aura alors la capacité de porter les projets ambitieux de notre ruralité qui est à mes yeux majeur ? Personne, car la France est ainsi faite qu'à Paris les ministres et leurs directeurs ont bien du mal à recevoir et plus encore à prendre en compte les maires, y compris de villes moyennes, qui ne sont pas en même temps des parlementaires. A-t-on enfin pensé qu'avec le mandat unique on va augmenter le nombre de responsables politiques, alors que c'est tout le contraire qu'il convient de faire ? La classe politique française est trop nombreuse, notamment pour les parlementaires.

La diminution du nombre de ces derniers est un impératif incontournable. Ils sont 1 000 en comptant les députés européens pour un pays de 66 millions d'habitants. C'est trop, beaucoup trop. Les assemblées pléthoriques sont des assemblées inaudibles. Réduire d'au moins un tiers le nombre de parlementaires et rétablir dans le même temps le cumul à deux mandats redonnerait de la force et de la crédibilité à la démocratie française.

En tout état de cause, la question pourra utilement être posée aux Français par référendum le jour même du second tour des élections législatives suivant le prochain scrutin présidentiel. Sur cette question comme sur quelques autres, il reviendra au peuple de trancher et d'avoir le dernier mot.

* * *

En repensant à cette période de deux années et demie, à la distance qu'elle m'a permis de prendre, au recul qui me manquait tant et que j'ai pu acquérir, aux erreurs que j'ai commises, j'ai compris – enfin ! diront certains – que de loin le paysage se dessine mieux.

J'aurais mieux fait d'anticiper ces moments de déconnexion avec la vie politique plutôt que de m'acharner, comme tant d'autres de mes collègues, à tout faire pour ne pas manquer le plus petit épisode d'une vie politique qui en connaît tant sans que cela ne change rien au fond des choses. Comme si l'importance des événements politiques se trouvait être inversement proportionnelle à l'excitation immédiate qu'ils suscitent. Plus ça va et plus je crois à la pertinence de carrières alternatives où des périodes d'engagement politique intense succéderont à des moments de vie dans le privé, dans le monde associatif ou même à des expériences à l'étranger.

Je dois bien reconnaître que le recul que j'ai pris par rapport à l'action publique n'a jamais signifié le désintérêt. Je portais un autre regard, mais c'était toujours un regard passionné, attentif, concerné. Alors forcément je me suis posé, en mon for intérieur, la question. Avais-je vraiment tourné la page de la politique ? Je le disais, je le pensais, je voulais m'en convaincre, mais le croyais-je vraiment ? Pas certain.

Quand j'allais applaudir ma femme tout au long de ses concerts, j'étais heureux pour elle, j'étais très fier de ce que l'artiste réalisait, mais la sincérité m'oblige à reconnaître que je n'étais pas insensible à ce que son public me témoignait de sympathie chaleureuse. En fait, c'était sans doute encore un peu de la vie politique qui demeurait en moi. Quand nous allions au restaurant en famille et que des gens patients et enthousiastes nous attendaient à la sortie, c'était encore le « Président » auquel ils manifestaient un encouragement et parfois même un attachement.

Comment rester indifférent à cette chaleur, à cette amitié, à cette fidélité ? Comment dire à tous ces Français qu'ils ne faisaient plus partie de ma vie ? Qu'ils ne devaient plus compter sur moi ? Que j'avais tourné la page ? Eh bien, je n'ai pas pu. Je n'ai pas voulu. Je suis donc revenu.

Je l'ai fait pour eux d'abord, et aussi, il faut bien le dire, pour moi, parce que, au final, c'est ma vie. J'ai sans doute contribué à entretenir cette flamme, consciemment ou pas. Peu importe, puisqu'elle est là au fond de moi et qu'elle n'est pas près de s'éteindre, car pour moi tout a commencé avec la France et tout finira avec elle.

2

Mes deux 6 mai

Le 6 mai 2012, je perds l'élection présidentielle. De peu, mais je la perds : 48,5 % – il me manque 1,5 %. L'étroitesse du score me console presque de la défaite. Je téléphone à François Hollande quelques minutes après 20 heures pour le féliciter. Je sens que lui non plus ne s'attendait pas à un tel score. Depuis des mois, les sondeurs et les observateurs lui promettaient une victoire large, sans appel. Certains avaient même pronostiqué ma non-qualification pour le second tour. À l'arrivée, l'écart est faible ; cela ne change rien au résultat, mais au moins cela m'évite l'humiliation d'une défaite en rase campagne. Notre échange est bref, mais assez chaleureux. Je lui conseille même de faire attention à protéger sa famille, qui désormais va se retrouver sous le feu des projecteurs. Je ne croyais pas si bien dire... Douze jours plus tard, après la brève cérémonie de passation des pouvoirs, Carla et moi quittons l'Élysée. Je reçois, dans ce qui est encore mon bureau pour quelques minutes, mon successeur. Et pour la première fois je comprends l'un des ressorts de sa personnalité profonde : l'art consommé de la dissimulation. Notre entretien est amical. Il me tutoie et me demande même de lui téléphoner au cas où j'aurais quelque problème que ce soit. Il me précise qu'il entend bien m'appeler chaque fois que nécessaire. Il me promet de trouver une sortie digne pour deux ou trois de mes anciens collaborateurs, au premier rang desquels j'avais mis Xavier Musca. Naturellement, il n'en fera rien. Mais le plus révélateur dans son attitude n'était pas là. Je connaissais les pratiques sectaires d'une certaine gauche, je ne m'en étonnais donc pas. Après tout, je n'attendais rien de lui, mais je dois dire que son changement instantané d'attitude dès que nous fûmes devant les caméras me sidéra. Son comportement avec Carla sur l'avant-scène du perron de l'Élysée fut d'une froideur à la limite de la mauvaise éducation. Quant à notre poignée de main, l'homme amical et chaleureux en privé laissa la place à un Président distant, glacial, mal à l'aise. S'ensuivit la scène bien connue où il tourna les talons sans même prendre la peine d'attendre que nous ayons pénétré dans notre voiture. Il lui fallait donner le change à la partie la plus hostile à mon endroit de ses amis. Je compris, à cet instant, que le quinquennat ne serait pas mis sous le signe du rassemblement. Quant à François Hollande lui-même, à quoi pensait-il sincèrement en ces instants ?

* * *

La campagne présidentielle fut rude, très rude. C'est normal, et sans doute habituel pour l'élection suprême. Mais l'âpreté de la bataille fut renforcée par le sentiment de solitude qui m'accompagna tout du long. Après les longues semaines de prédictions de scores plus ou moins catastrophiques, beaucoup dans mon propre camp avaient perdu la foi en la possibilité de la victoire, ou même tout simplement l'envie de battre la campagne. C'est une des caractéristiques de nombre de responsables politiques que d'être très sensibles au jugement des journalistes. Autrement dit, leur moral est bien souvent indexé sur l'humeur médiatique du moment. Comme cette dernière était très mauvaise, certains de mes soutiens préférèrent « rester à la maison » plutôt que s'engager. Ainsi, l'une des ministres de mon gouvernement, qui avait fait des pieds et des mains pour y demeurer, fut totalement absente de la campagne, ce qui lui laissa le loisir de rédiger le livre relatant tout le mal qu'elle pensait de son expérience gouvernementale et dont la publication suivit d'un mois ma défaite. Au moins n'avait-elle pas perdu son temps. Mais imaginons que j'aie gagné : il y aurait fort à parier que le livre ne serait pas sorti, en tout cas pas aussi critique... Bien sûr, tous n'étaient pas aussi cyniques ou friables, nombre de parlementaires, d'élus, de ministres firent campagne avec courage et engagement. L'impression de solitude était néanmoins dominante. Sans doute dois-je reconnaître ma part de responsabilité dans cette situation. Je confesse une difficulté à déléguer. Mon idée du leadership me conduisait à prendre tous les jours la tête du combat et à multiplier les initiatives. J'aurais sans doute mieux fait de réserver une plus grande place à certains des leaders de la droite et du centre. Essayer de mieux les associer. Je ne l'ai pas fait. Ce fut une erreur. Mais, à la fin, c'est le Président, élu des Français, qui doit assumer les responsabilités du chef dans la bataille, car c'est lui qui est élu. C'est donc à lui et pas à ceux qui sont nommés par lui de conduire l'action politique. En observant mon successeur, je lui reconnais une réelle habileté à parer les coups, à se dissimuler dans la tempête médiatique, à utiliser son Premier ministre comme un bouclier souvent utile. En tout cas, il le fait infiniment mieux que moi.

Peut-être qu'au fond j'ai aimé cette forme d'adversité et de solitude. La difficulté m'a toujours stimulé. Elle m'oblige à donner ma pleine mesure. Plus la vague est haute, plus je me déploie. Dans la difficulté, j'arrive facilement à trouver mon chemin. Devant l'épreuve, je me pose moins de questions. Il faut décider, agir, imaginer. Il n'y a pas de rôle à jouer. Il y a un devoir à assumer. Les périodes de calme sont plus complexes pour moi, car c'est alors qu'il faut se composer une posture, adopter une attitude souvent superficielle. Cela ne m'a jamais été naturel. Peut-être ne suis-je vraiment utile que dans les temps de crise ? Remarquez : avec celles qui se profilent à l'horizon...

* * *

En y repensant, je suis certain que ce qui m'a permis de tenir tout au long de ces années d'engagement intense, ce à quoi j'attache le plus d'importance, c'est le contact direct avec les Français qui se trouve encore exacerbé par l'atmosphère des campagnes. Les foules enthousiastes, ces salles pleines et vibrantes. Tout cet amour qui est donné et mis en partage. Il y a dans ce rapport humain quelque chose de sacré, le mot n'est pas trop fort. En tout cas qui doit au moins être respecté. De quel droit peut-on moquer les militants, les adhérents, les sympathisants, les bénévoles dont le dévouement est aussi intense qu'immense ? Leur soutien m'a toujours incité à livrer le meilleur de moi-même. Peut-être d'ailleurs ai-je rarement autant donné que durant la campagne de 2012. Jamais je n'oublierai cette houle puissante ; elle m'a manifesté une confiance qui contrastait absolument avec ce que disaient les sondages.

Je veux dire à tous ceux qui sont venus me soutenir qu'ils n'imaginent sans doute pas à quel point ils ont joué un rôle décisif. Sans eux, rien n'aurait été ou ne serait d'ailleurs possible. Il m'est arrivé plus d'une fois d'entrer dans un Palais des Sports ou un Zénith, en province, abattu par les dernières nouvelles, puis, en quelques secondes, juste après être entré en scène, comme par miracle, l'énergie et l'envie revenaient. C'est le public qui donne la force de tout surmonter. Cette vérité, seuls ceux qui ont eu le privilège, car c'en est un, de monter sur une scène peuvent vraiment la comprendre.

* * *

Qu'on parle de la France profonde, de la France des villes et des campagnes, de la France du quotidien, peu importe, c'est le pays profond avec qui je veux rester en lien, que je veux écouter, que je veux rassembler. Je sens son exaspération décuplée par les ravages d'une pensée unique dont les effets sont dévastateurs. La France souffre, mais si au moins on la laissait exprimer librement sa souffrance, alors un peu d'amertume en moins allégerait les cœurs et les consciences. Nos élites qui, souvent, parlent avec mépris du « populisme » ignorent les ravages que provoquent tous ces discours déconnectés des réalités. Ce déni, ce refus de voir la vie quotidienne des Français renforcent leur sentiment d'abandon et les conduit à se radicaliser de jour en jour. Ceux qui n'ont que le mot liberté à la bouche pour eux-mêmes voudraient retirer la parole à tous ceux qui ne pensent pas bien, c'est-à-dire pas comme eux. Que le monde serait plus facile à leurs yeux si le peuple n'existait pas…

Il y a bien deux poids et deux mesures. Pour la droite, ce sera toujours plus grave, plus lourd, plus définitif, et surtout plus difficile…

J'ai senti cette forme d'outrance décuplée au moment de notre formidable rassemblement de la place du Trocadéro. C'était le 1er mai 2012, des dizaines de milliers de Français étaient venus se rassembler pour célébrer le « vrai travail » et me soutenir. C'est à dessein que j'avais employé cette expression, car j'avais toujours trouvé étrange le rassemblement syndical censé célébrer le travail tous les débuts de mois de mai. D'abord, semblaient exclus de cette manifestation tous ceux qui n'étaient pas salariés. Ensuite, les messages syndicaux étaient tous orientés autour de l'idée que l'on aimait tellement le travail que la priorité devait être de le réduire le plus possible et le plus tôt possible. Comme si la vraie vie était ailleurs et qu'au fond au travail on ne vivait pas. Je ne partage en rien cette vision. Bien sûr, il y a des emplois qui sont moins épanouissants que d'autres. Bien évidemment, il faut en priorité envisager l'amélioration des conditions de travail. Mais je veux redire ma conviction que nous, les êtres humains, nous sommes faits pour « aimer » et pour « travailler ». L'un et l'autre. Le travail libère. L'absence de travail aliène.

Visiblement, mon message avait été reçu puisque, ce jour-là, non seulement la foule était immense, mais de plus l'ardeur était vibrante. Quelle ne fut pas ma stupéfaction d'entendre Axel Kahn, universitaire reconnu, intelligence incontestable, ex-président de la Commission du génie biomoléculaire... comparer notre rassemblement au Congrès de Nuremberg. Ce jour-là, son engagement politique avait pris le pas sur son bon sens, et même sa raison. Ce n'est pas ma conception de la politique qui ne doit ni tout permettre, ni tout justifier, ni tout accepter. C'est une question de respect et de dignité. Il a certainement pu m'arriver, dans la chaleur d'une joute politique, d'aller plus loin que je n'aurais dû, de dépasser ma pensée, voire de l'outrepasser. Mais nous comparer à des nazis ! On est alors dans l'injure, pas dans la confrontation républicaine. Ce soir-là, j'ai eu de la peine pour Axel Kahn. Voilà ce qui se passe lorsque l'on est à ce point persuadé de posséder la vérité, d'être du bon côté de l'Histoire, d'appartenir à la famille de ceux qui pensent « bien ». Paradoxalement, une part de doute est nécessaire pour réussir à rassembler au-delà de ses seuls partisans.

En fait, cette vindicte me met mal à l'aise. Elle m'est parfaitement étrangère. Ce sectarisme n'a jamais été, et ne sera jamais dans ma nature. L'acrimonie n'est pas dans mes gènes. Et j'ai bien l'intention de demeurer ainsi. Au fond, je connais peu de défauts plus graves en politique que l'intolérance, la fermeture d'esprit et le clanisme.

J'ai reçu, il y a quelques mois, une lettre sympathique et bien intéressante d'un médecin de Saint-Étienne qui apparemment soutenait mon action. La missive commençait par un message gentiment ironique sur ma santé : « Vous êtes malade… Je ne vous reconnais plus dans votre famille politique, on vous attaque et vous ne répondez pas. Êtes-vous devenu sourd et aveugle ? » Ni l'un ni l'autre, cher docteur, mais je ne veux plus mettre dans la vie politique une violence verbale envers mes adversaires ou de mes « amis concurrents », car elle ne saurait y avoir sa place. Contrairement à ce que l'on a si souvent dit de moi, je ne goûte guère cette brutalité. J'aime la franchise même lorsqu'elle peut être rugueuse. Je n'aime pas la violence, qu'elle soit physique ou verbale… C'est étrange, souvent les médias me présentent comme « clivant », justifiant ainsi par avance toutes les outrances dont je serai la cible. Pour beaucoup, être clivant, c'est juste dire ce que l'on pense. Je n'ai pas dit « la vérité », car je sais combien celle-ci peut être relative. Or à quoi rimerait de continuer l'engagement politique si c'est pour travestir la réalité ? J'ai trop conscience du sentiment profond chez les Français qu'on leur masque si souvent la gravité de la situation – en deux mots : qu'on leur ment. C'est sans doute ce que j'ai appris de plus fort ces trois dernières années : ne pas faire de compromis avec la réalité de ce qu'est devenue la France, et de ce que vivent les Français. La situation est trop grave pour que nous puissions continuer avec les faux-semblants et les immobilismes d'antan. Pour que l'action soit forte demain, le discours doit être libre aujourd'hui.

En rentrant du dernier meeting de la campagne des régionales à Rochefort, Jean-Pierre Raffarin, avec qui j'entretiens des rapports plus cordiaux qu'on ne le croit, m'a posé cette question surprenante : « Peux-tu réussir avec une telle hostilité des médias à ton endroit ? » Sur le moment, j'ai souri et bredouillé une explication qui n'en était pas une. À la réflexion, cette question mérite sans doute que je m'y arrête. Il est incontestable que les médias dans leur ensemble sont plus exigeants (encore une litote) avec la droite qu'avec la gauche, et bien plus encore avec moi qu'avec tous les autres leaders de ma famille. Cependant je ne crois pas que cela soit dû à un engagement politique partisan. Je crois plutôt qu'il y a une facilité médiatique à frapper celui ou celle qui ne craint pas de s'affranchir d'une pensée unique dominante. Sans doute ai-je ma part de responsabilité. Sans doute a-t-il pu m'arriver de céder à des provocations inutiles dans le passé. Ce qui a pu créer entre eux et moi un rapport de « passion » et de « détestation » dont j'ai du mal à tirer tous les fils. L'honnêteté m'oblige à reconnaître à l'inverse que je serais bien ingrat de ne pas considérer la place importante que les médias réservent à mon action, et en même temps je vois bien que leur jugement est souvent excessif. Comme si, à leurs yeux, je pouvais tout supporter, tout endurer, tout mériter, y compris le pire. Au fond, je pense quelquefois, peut-être pour me consoler, que les médias me voient plus fort et plus résistant que je ne le suis en réalité. Je ne doute pas cependant que si demain je devais « passer la main », le futur leader de la droite constaterait qu'il n'est plus protégé par mon paratonnerre. C'est lui alors qui devrait se demander pourquoi les médias sont devenus si exigeants avec sa personne...

Ce que j'ai en revanche beaucoup plus de mal à accepter, c'est la déformation des faits. Je voudrais donner quelques exemples très récents. Il y a d'abord toutes ces phrases que l'on me prête et que je n'ai jamais prononcées. On m'a par exemple accusé d'avoir déclaré que François Bayrou était aussi dangereux que le sida, phrase ignoble que je n'ai naturellement jamais dite. Ces pseudo-citations bien sûr non vérifiées donnent lieu à des articles... dont le seul but est de salir.

À ces phrases inventées s'ajoutent les faits dénaturés. Le soir du second tour des régionales, on m'a ainsi reproché « un abandon de poste » pour avoir assisté à un match de football plutôt que de me préoccuper du score de la droite dans toutes les régions. Or, au moins vingt personnes étaient avec moi, dans mes bureaux, rue de Vaugirard, jusqu'à 21 h 45 ce soir-là. Mes plus proches m'ont entendu informer Valérie Pécresse de son succès. Ils m'ont vu attendre tous les résultats un par un, féliciter les uns, consoler les autres. Ce n'est qu'une fois terminé mon travail que je suis allé assister, et après avoir préparé le bureau politique du lendemain, à la seconde mi-temps du match.

Voilà les faits, bien loin de la présentation mensongère qui en a été donnée.

* * *

Je voudrais revenir à la question du sectarisme que j'abhorre, cela avait beaucoup compté dans la décision mûrement réfléchie qui fut la mienne à l'époque de pratiquer l'« ouverture ». J'avais été impressionné en mai 1995 par la volonté de Jacques Chirac de constituer autour d'Alain Juppé un gouvernement exclusivement composé de chiraquiens de pure obédience. Six mois plus tard, c'était le blocage de la France. Il en alla de même pour François Mitterrand avec les gouvernements Mauroy au début des années 1980, qui se fracassèrent moins de deux ans plus tard sur le tournant de la rigueur de 1983.

Or, et c'est pour moi une conviction inébranlable : on ne peut pas gouverner un pays avec ses amis. Le gouvernement de la France, tout en gardant sa cohérence, doit ressembler à la diversité de la France. Il s'agit d'une donnée de base. C'est pourquoi j'avais nommé ministres des femmes et des hommes d'origines diverses : Rachida Dati, Rama Yade, la présidente de Ni putes ni soumises, Fadela Amara ; et aussi de sensibilités politiques différentes comme Bernard Kouchner, Jean-Pierre Jouyet, Éric Besson ou Jean-Marie Bockel. J'ai toujours établi un lien entre la présence de ces personnalités d'ouverture dans notre équipe et le fait que, durant les cinq années de ma présidence, nous n'avons connu aucun épisode de grande violence. Je crois profondément que cette diversité a permis d'apaiser les tensions. Je sais bien que, électoralement, je n'ai rien gagné à agir ainsi. Bien au contraire, puisque mes amis m'en ont voulu, et comment ne pas les comprendre, de voir « récompenser » des gens qui n'avaient en rien participé à la conquête du pouvoir. Patrick Devedjian avait drôlement dit : « L'ouverture doit aller très loin… jusqu'aux sarkozystes. » C'est dire combien ces derniers n'ont pas compris mon attitude. Et pourtant, si c'était à refaire, je referais le choix du rassemblement, car je crois sincèrement qu'il y va de l'intérêt de la France que le Président ne se laisse enfermer ni par son parti ni par ses amis.

En revanche, j'ai certainement commis des erreurs, non sur le principe de l'ouverture mais dans le choix des personnes qui allaient l'illustrer. Je reconnais bien volontiers m'être trompé sur ce point. Si par exemple Éric Besson et Jean-Marie Bockel furent d'une loyauté exemplaire, je ne peux pas en dire autant pour certains autres. La palme revient sans doute à Jean-Pierre Jouyet, que je croyais bien connaître puisqu'il avait été mon collaborateur à Bercy, que j'avais défendu contre Jacques Chirac en 2004, lequel voulait alors « que je le vire car on ne pouvait lui faire confiance », comme directeur du Trésor, que j'avais fini par faire nommer ambassadeur à mes côtés, toujours à Bercy, et qui enfin ne s'était nullement fait prier, bien au contraire, pour devenir ministre dans mes gouvernements. Après tant d'années de participation au plus haut niveau à mon action politique, c'est le même homme qui, sans aucun état d'âme, a réussi à faire le chemin inverse en rejoignant François Hollande pour mettre en œuvre une politique en tous points contraire à celle que nous avions appliquée ensemble. On peut certainement changer d'avis. On peut même en changer deux fois de suite, mais le plus gênant avec Jean-Pierre Jouyet, c'est que ses changements de pied se font toujours dans le même sens que celui qui amène de nouvelles équipes au pouvoir. Reconnaissons-lui ce talent : Jean-Pierre Jouyet sait bien anticiper celui qui va l'emporter.

Pour autant, je veux redire ma conviction que l'on ne renonce pas au « rassemblement » sous prétexte qu'il y a dans la vie en général et dans la politique en particulier des gens à la faible colonne vertébrale. La France a besoin de ce symbole pour ne pas se persuader qu'elle vit une guerre civile permanente. Autant je ne crois pas au rassemblement autour d'« idées molles », porté par une union nationale de façade, autant je crois à la nécessité d'élargir une équipe en charge d'appliquer un projet fort et bien identifié.

* * *

C'est ce message que j'ai essayé de faire comprendre aux Français lors de mon discours de la Mutualité le soir de ma défaite. Vers 18 h 30 ce dimanche 6 mai, en recevant les premiers sondages sortis des urnes, il est clair que nous avons perdu. J'ai fait tout ce qui était humainement possible pour gagner. Entouré de ma femme, de mes enfants, de quelques amis proches, je n'éprouvais ni regret, ni énervement, ni déception.

J'étais en paix avec moi-même. Je décidai dans l'instant d'écrire le discours que j'allais devoir prononcer. Carla, qui reste culturellement italienne, donc quelque peu superstitieuse, me conseilla aussitôt d'attendre les résultats définitifs, de crainte de provoquer le sort. « Cela va te porter malheur ! » Je sais qu'à cette heure les jeux sont faits. Je vois dans ses yeux et dans son sourire forcé qu'elle est inquiète pour moi. J'écris ce discours en moins de quinze minutes. J'ignore encore qu'il sera écouté et vu par des millions de personnes. J'essaie d'y mettre tout ce que je pense à ce moment-là, en tout cas avec une sincérité totale car il n'y a plus d'enjeu, pas de calcul.

C'est pourquoi, ce soir-là, j'ai voulu remercier les Français, tous les Français sans exception. Ceux qui avaient voté pour moi comme ceux qui avaient été contre. Je ne voulais faire aucune distinction. La France est un ensemble. On ne divise pas la nation en catégories ou sous-catégories. J'ai eu la responsabilité de tous. Je voulais parler à chacun. Leur dire que je leur devais mon destin. Que s'ils m'avaient « battu en 2012 », ils m'avaient élu en 2007. Ce qui fut un très grand honneur. J'étais alors au sommet d'une carrière politique commencée sans appuis, sans réseau, au plus bas de l'échelle, comme simple militant, trente-cinq ans auparavant. C'était un petit miracle. J'ai voulu leur dire une dernière fois ma gratitude. Et ces mots n'étaient pas truqués, pas factices. C'était la vérité et ça l'est toujours. Jamais je ne pourrai rendre à la France et aux Français ce qu'ils m'ont donné, ce qu'ils m'ont permis d'être et de faire. Si on aime la France, on doit aimer tous les

Français, qu'ils soient pour ou contre, jeunes ou vieux, français récents ou de naissance, ruraux ou citadins. J'ai toujours vu les choses ainsi.

C'est sans doute ce qui explique ma réaction au moment des déclarations de Nadine Morano sur la France et la race blanche. J'avoue avoir été doublement stupéfait. D'abord par la méconnaissance de la réalité française que traduisait ce propos. Même en en appelant aux mânes du général de Gaulle, réduire la France à une race est inexact. On hésite même à argumenter, tant le propos est gênant. La France est une idée, une volonté, une identité, une culture, un mode de vie, une histoire, une volonté communes... Et tant d'autres choses. Mais, à coup sûr, ce qu'elle n'est pas, c'est une race. Dumas était quarteron, doit-on considérer qu'il est français par erreur ? J'ai pensé à tous ces Français de couleur, souvent français depuis plus longtemps que moi. Quel outrage que de leur faire sentir cette forme d'« étrangeté ». Il est sûr que certains de nos compatriotes ont soutenu sa liberté de ton, mais je me devais de leur dire que de tels propos n'ont pas leur place dans une famille politique qui s'est donné le nom de Républicains. C'est justement le rôle d'un responsable, digne de ce nom, que de fixer des limites. Encore aujourd'hui, je n'éprouve pas le moindre doute à propos de ma décision de lui refuser l'investiture pour les élections régionales, et cela malgré les sentiments réels d'amitié que j'éprouve encore pour elle. Le fait qu'elle se soit dite proche de moi aurait dû la convaincre que sa responsabilité était encore plus engagée. Elle a participé à de nombreux combats à mes côtés. J'espère qu'une fois les passions retombées elle saura reprendre sa place. Je suis persuadé qu'on ne combat pas la pensée unique avec la pensée fausse. La liberté de parole doit être complète dans une formation politique, mais il est des propos qu'on ne peut tolérer, car en blessant certains Français, ils nous pénalisent tous. En la circonstance, avoir tranché m'a soulagé. Le compromis était impossible.

C'est la même idée et le même raisonnement qui m'ont fait vouloir m'adresser à ceux de nos électeurs qui nous ont quittés parce que nous les avions déçus ou parce que je les avais déçus. Et, pour la plupart, je sais qu'ils sont partis grossir les rangs du Front national. Certains le firent par adhésion, d'autres, beaucoup plus nombreux, afin d'attendre que nous nous « ressaisissions », espérant que la « leçon » finirait par être comprise. J'ai même été jusqu'à dire que dans mon esprit les primaires de la droite et du centre devraient être ouvertes à tous ceux qui se reconnaîtraient dans les valeurs de la droite et du centre, y compris les électeurs occasionnels du Front national. Si on veut des primaires, on ne peut en exclure des millions de gens qui croient dans nos idées au seul motif que, une ou plusieurs fois dans le passé, ils ont exprimé un vote pour un candidat du Front national.

Pour la pensée unique, encore une fois, il y a les bons électeurs, les bons Français, ceux du centre droit ou du centre gauche. Il y a les très bons Français, ceux de gauche. Et les mauvais, tous ceux qui se trouvent à droite. Quant aux très mauvais, on voit bien où ils se trouvent... Bien sûr, je ne partage en rien ce présupposé. Si la République autorise des candidats du Front national à se présenter aux élections, au nom de quoi interdire à des milliers de citoyens de choisir ces candidats ? Où est-il écrit qu'une fois ce choix exprimé ces électeurs devraient être définitivement perdus pour la droite républicaine ? François Mitterrand ainsi que tous ses successeurs à la tête du parti socialiste n'ont d'ailleurs jamais hésité à instrumentaliser le Front national pour diviser et réduire la droite. L'ancien Président a même été jusqu'à les faire entrer en masse en 1986 au Parlement grâce à la proportionnelle. De ce point de vue, les leçons de morale sont insupportables. Faudrait-il aller jusqu'à déclarer une nouvelle catégorie de « sous-citoyens » qui n'auraient plus le droit d'exprimer leur avis, au motif qu'ils auraient une ou plusieurs fois fait le mauvais choix ? Absurde. Et que dire alors de ceux de nos compatriotes qui ont voté des années durant pour un Parti communiste français qui soutenait ardemment toutes les dictatures derrière le Mur de Berlin ?

Je n'ai rien de commun avec les dirigeants du Front national dont nombre de discours font frémir par leur inconséquence, leur incompétence, leur décalage complet avec le monde d'aujourd'hui. Mme Marine Le Pen m'honore de ses injures et de ses propos approximatifs depuis des années. Elle n'est ni plus ni moins qu'une héritière qui a mis beaucoup de temps avant de s'apercevoir que son père était « infréquentable ». Elle a attendu qu'il soit vieux et faible pour l'affronter et l'exclure. On voit comment ils sont capables de s'occuper d'eux-mêmes. Cela ne donne nulle envie qu'un jour ils s'occupent de la France. La grande majorité des électeurs du Front national rassemble des gens qui souffrent soit dans leur vie quotidienne, soit de voir ce qu'est devenue la France. On ne répond pas à la souffrance par le mépris, l'exclusion ou les leçons de morale. Il faut prendre en compte cette souffrance et lui apporter des réponses adaptées. Je persiste et je signe. Je combats le Front national, mais j'affirme que voter pour les candidats du Front national n'est ni antirépublicain ni immoral. D'ailleurs, si tel était le cas, la République aurait pris depuis longtemps ses responsabilités en interdisant cette formation. Je suis certain que notre premier devoir est de nous adresser à chacun de ses électeurs pour les convaincre de nous rejoindre. Si nous ne faisons pas ce travail, qui le fera à notre place ? Personne.

Après un échange radiophonique à la franchise assumée de part et d'autre sur RTL, j'avais reçu mon interlocutrice, électrice du Front national. Madeleine est une Marseillaise qui votait pour nous et vote désormais pour les candidats du Front national. Je l'ai écoutée. Nous avons parlé assez longuement. J'avoue avoir été touché par son témoignage. Elle n'a rien d'une extrémiste, n'a montré aucune excitation. Je l'ai trouvée particulièrement courtoise. J'ai senti qu'elle éprouvait un immense besoin de parler, de dire ce qu'elle avait sur le cœur. À l'opposé des tenants de la pensée unique qui n'avaient cessé de me reprocher d'en faire trop et d'en dire trop, pour elle, c'est clair, je l'ai déçue parce que je n'en ai pas fait assez.

Nouvelle preuve de décalage éclatant entre ceux qui commentent et les Français qui subissent la réalité et... les commentaires. Et puis, au bout de trente minutes, dans un souffle, elle finit par me dire : « Vous savez, c'est nous maintenant qui avons le sentiment de vivre dans un ghetto. » Il n'y avait dans le ton comme dans le fond nul présupposé raciste ou xénophobe, mais l'expression d'un malaise, d'une angoisse, d'une irritation à l'idée que la France ne soit plus la France, que nos habitudes de vie changent jusqu'à ne plus les reconnaître, que le simple fait d'être un Français de toujours soit considéré comme déplacé. Nous ferions bien d'être interpellés par cette phrase et d'y réfléchir, plutôt que de la juger ou, pire, de la condamner, parce que, des « Madeleine », il y en a beaucoup plus qu'on ne le croit ; à mon sens elles se comptent en millions. Et ce sont ces millions de citoyens qu'il nous faudra convaincre qu'ils peuvent de nouveau nous faire confiance. Céder à la pression de la gauche, de la pensée unique, d'une partie de nos élites serait une faute contre l'esprit de la République. Convaincre ceux qui se sont égarés de revenir pour participer à la préparation de l'alternance devrait être l'une de nos grandes priorités. J'ai beaucoup pensé à cela tout au long de ces trois dernières années. Comment redonner confiance à ces Français qui ont perdu tout espoir dans l'avenir et qui finissent par se réfugier dans une sorte de nostalgie idéalisée, comme si seul le passé trouvait grâce à leurs yeux ? Il n'y a pas de solution miracle. La politique est l'art du possible, et en outre promettre « n'importe quoi » ne ferait qu'aggraver les choses. La lucidité et la vérité me semblent donc être les seules voies utiles susceptibles de retrouver l'écoute de ces Français.

* * *

Une fois écrit le discours de la Mutualité, je le lus à quelques-uns de mes ministres, non pour avoir leurs réactions, car ma décision était prise, mais pour les informer de ce que j'allais dire. Me revient en mémoire une scène amusante. Dans le salon vert de l'Élysée où nous nous trouvions, Alain Juppé attira mon attention sur un passage de mon discours. Il jugeait une phrase inopportune. « Tu ne peux pas dire que la politique est définitivement terminée pour toi. Tu tournes la page, mais qui peut dire que c'est définitif ? » Ce propos illustre parfaitement nos relations depuis 1976, année de notre rencontre. C'est peu dire que nous sommes différents dans nos choix comme dans nos personnes. Malgré notre différence d'âge, dix ans, il y a souvent eu de la concurrence entre nous. Celle d'aujourd'hui n'est donc pas nouvelle. Malgré cela, nos relations ont toujours été cordiales. J'ai une amitié pour lui qui va au-delà de la politique. Nous n'avons, en fait, aucun contentieux lié au passé puisque nous n'avons jamais eu à nous reprocher un quelconque coup bas. Nous avons tous deux connu des moments difficiles professionnellement et personnellement. Et je pense que cela a fini par nous rapprocher. Lorsque, à deux reprises, j'ai appelé Alain Juppé au gouvernement, il a d'abord hésité — je sais qu'il craignait d'être piégé. Cela m'a toujours semblé étrange. Faire trébucher un de mes ministres revenait ni plus ni moins qu'à chuter moi-même.

J'ajoute que j'ai toujours apprécié les échanges avec lui. Il est sérieux. Il sait mettre en œuvre une politique. Son moindre goût pour le risque ou tout ce qui apparaît comme trop différent faisait un utile contrepoids à mon appétence naturelle pour l'action et le volontarisme qui peut parfois sembler exagérée. Au final, nous avons bien travaillé ensemble. Malgré les « circonstances », il n'y a guère de risque qu'un fossé se crée entre nous. Nous nous connaissons trop bien, et l'un et l'autre mesurons le poids de nos responsabilités réciproques. La droite française a besoin de notre entente pour ne pas revivre les cauchemars que furent les affrontements Giscard-Chirac ou Chirac-Balladur. Je sais aussi que les entourages ne nous faciliteront pas la tâche. J'ai observé que le « posé » Alain Juppé était souvent entouré d'une certaine agitation. Ainsi va la politique, le public ne voit que la tête de proue, mais autour il y a bien des collaborateurs qui ont le sentiment parfois justifié de jouer toute leur carrière sur une bataille. Cela crée de la tension toujours, de la violence parfois. À moi d'abord, à nous ensuite, de savoir mettre ces petites choses à la place qui leur correspond réellement − insignifiante.

* * *

Lorsque, en ce 6 mai 2012 je me dirige en voiture vers la Mutualité suivi par un essaim de caméras, une moitié des badauds m'applaudit, l'autre me siffle. Ainsi va la France, forcément coupée en deux. Arrivé sur place, je suis littéralement happé par des flots de partisans. J'entre dans une salle bondée. La foule déborde sur le trottoir. Je vois avec émotion ces milliers d'amis qui m'attendent, qui manifestent leur attachement, qui ont tant de peine à surmonter leur déception. Pour la première fois depuis longtemps, j'ai la gorge nouée. Littéralement. J'ignore même si j'aurai la force d'aller au bout de mon discours. Au moment où je félicite François Hollande pour son élection, la foule siffle en abondance. Je demande le silence. Je ne veux à aucun prix que nous donnions l'image de revanchards haineux. Au fond, mon obsession de l'instant est de réussir mon départ. J'avais, jeune, été marqué par les conditions de celui de Valéry Giscard d'Estaing, quittant l'Élysée à pied, sous les quolibets de la foule. J'ai beaucoup de respect pour l'ancien Président, mais, malgré toute son intelligence, de la chaise vide aux sifflets de la rue Saint-Honoré, il a difficilement quitté le pouvoir. Je voulais *bien* partir. Et Dieu sait que c'est un exercice difficile. C'est pourquoi j'ai tenu à dépouiller mon propos autant que possible. Je n'ai voulu aucun artifice. Ce soir-là, j'ai simplement dit ma vérité. Je ne voulais pas diviser la France. Je lui ai parlé dans sa globalité. Je tenais beaucoup à faire partager aux Français mon émotion et la confiance indestructible que j'éprouverai toujours pour notre pays.

* * *

Il a fallu attendre près de deux années après la cérémonie de passation des pouvoirs pour que je revoie mon successeur. C'était à l'occasion des obsèques de Nelson Mandela. En fait, je sais devoir cette invitation à Barack Obama. En effet, le président des États-Unis avait tenu à inviter à cet événement la totalité de ses prédécesseurs. Difficile pour la France de ne pas suivre cet exemple de civilités. De ce point de vue, la démocratie américaine est plus harmonieuse et consensuelle que la nôtre. J'avais été impressionné par la décision de Barack Obama d'inaugurer lui-même la Fondation pour la liberté de son prédécesseur George W. Bush. Et pourtant la campagne entre eux avait été d'une rare violence. Toujours est-il que j'acceptai volontiers l'invitation présidentielle. J'avais rencontré à trois reprises dans le passé « Madiba ». La visite de sa prison à Robben Island m'avait bouleversé. Dix-huit ans dans une cellule trop petite pour que le grand Mandela puisse s'allonger. Et après tant d'années d'enfermement, ses premiers mots avaient été pour ses geôliers à qui il pardonnait et surtout qu'il plaignait.

La question du pardon est centrale dans toute vie. Tous les pardons n'ont bien sûr pas cette dimension historique, mais on ne fait rien de grand dans sa vie professionnelle comme personnelle sans pardonner. Il ne s'agit pas d'exprimer ici une incidente religieuse, mais de revendiquer une règle de vie que j'ai toujours essayé d'appliquer. Notre condition humaine est bien celle de la faiblesse. L'erreur est humaine et donc coutumière. Que reste-t-il alors de l'humanité sans pardon ? Rien. Cela vaut dans un couple, dans une famille, dans un pays comme dans la politique. Si j'avais dû en vouloir à tous ceux qui un jour m'ont attaqué ou critiqué, j'aurais eu bien du mal à composer un gouvernement. Car, à quelques très rares exceptions près, tous mes ministres, par exemple, avaient, dans le passé, pris leurs distances avec moi pour une raison ou pour une autre. Brice Hortefeux, mon fidèle ami depuis 1976, fait partie des exceptions notables, ainsi qu'Henri Guaino, Luc Chatel et quelques autres.

J'ajoute que j'aime la fidélité. Je la vois comme une force et même comme un style de vie. Je ne vois rien de vulgaire ou de pathétique dans les fidélités assumées. Antoine Bernheim avait l'habitude de dire avec un humour teinté d'amertume : « La fidélité, cette maladie du chien non transmissible à l'homme. » La fidélité que j'ai exprimée à certains de mes amis en difficulté m'a parfois été reprochée. Il en fut ainsi avec Alain Carignon, aux côtés duquel j'avais été ministre dans le gouvernement d'Édouard Balladur. L'histoire s'était bien mal terminée pour lui puisqu'il était passé directement de la case ministre à la case prison, et ce durant vingt-quatre mois. À une journaliste du *Nouvel Observateur* qui m'interrogeait sur cette relation « sulfureuse », j'indiquai qu'il avait purgé sa peine, payé le prix fort et que, dans ces conditions, c'est moi qui me serais déshonoré en me cachant pour le rencontrer ou en refusant de le revoir. L'image n'est pas tout. Les rapports humains comptent, y compris dans la politique. Je me suis toujours méfié de ces « vertueux » proclamés, de ces messieurs à la propreté revendiquée, de ces « prétendus exemplaires » qui m'ont toujours fait penser au curé de Victor Hugo qui, dans *Notre-Dame de Paris*, professait sa détestation pour l'« amour charnel » et qui en secret se consumait pour Esmeralda.

Durant le voyage en Afrique du Sud, mon successeur fut, comme à son habitude, aimable, voire sympathique sur la forme, glacé dans le fond. À un moment donné, il me demanda si je voulais faire une « déclaration » en sa compagnie. Je déclinai l'offre en précisant qu'il n'y avait qu'un seul président de la République. Il m'indiqua qu'il était de mon avis et que lui aussi se tiendrait sur la réserve et ne dirait rien. Moins de cinq minutes plus tard, je le vis répondre à tous les micros qui se tendaient... J'en souris sans y prêter une quelconque importance. À sa place, peut-être aurais-je fait de même ?

* * *

Finalement, quand je pense à cette soirée de défaite de 2012, ce n'est pas un si mauvais souvenir qui me revient. Je la vois même comme plus intense et plus riche de leçons apprises et retenues que celle du 6 mai 2007. Je conçois que cela puisse paraître bien étrange. Mais il y a deux raisons à cela : la première, c'est que le succès n'apprend rien que l'on puisse en retenir, mis à part quelques images fugaces. Bien sûr, le succès, c'est bon, c'est chaud, c'est exaltant, mais son souvenir s'enfuit comme du sable entre les doigts. J'ai toujours ressenti ainsi les soirées de victoire, aussi intenses que fugaces, aussi superficielles que brûlantes. J'aime la victoire, mais je ne sais trop pourquoi, dès le lendemain, elle laisse un goût un peu amer, comme si elle ne pourrait jamais être assez complète, assez totale. Et puis, avec le succès en politique, arrivent aussitôt les responsabilités. Ce n'est pas rien dans la vie d'un homme de devenir président de la République. J'avais beau m'y être préparé pendant des années, on n'est jamais réellement prêt à assumer un tel rôle. Vos épaules sont plus lourdes. Rien ne demeure anecdotique. Tout devient un enjeu. Et même les gens changent du tout au tout avec vous. Je ne m'en suis pas rendu compte tout de suite. Ce n'est que quelques semaines après, alors que nous dînions avec un intellectuel français reconnu dont j'apprécie l'esprit et la capacité pédagogique. Je fus interloqué par sa volonté quasi obsessionnelle de savoir « ce que cela faisait de devenir Président », comme s'il imaginait qu'après avoir été élu on devenait tout à coup un « surhomme ». Je lui répondis sans le convaincre que je craignais toujours la mort, que j'avais peur de la maladie, que j'étais toujours aussi inquiet pour ma famille, que de ce point de vue au moins cela n'avait rien changé. Mais j'observe que cette forme d'immaturité vis-à-vis du pouvoir est en France assez répandue, au moins au plus haut niveau. Le mélange entre la distance affichée – et toujours revendiquée – et la fascination de tout ce qui touche au pouvoir est une réalité qui n'a jamais cessé de m'étonner.

Avec l'échec, c'est une tout autre affaire. On est seul, mais avec soi-même et seulement ceux qui nous aiment vraiment. On perd l'action de chaque instant mais on regagne la liberté de tous les jours. De nouveau, il est possible de réfléchir, de s'interroger, de se remettre en question. Il n'y a plus d'habitude puisqu'il faut réapprendre à vivre autrement dans une existence bien différente. Je n'irai pas, bien sûr, jusqu'à dire que je préfère les soirées de défaite à celles de victoire, mais ayant connu les deux, je puis affirmer que l'échec est souvent fondateur car il fait souffrir. Il montre donc les chemins qu'il convient de savoir ne plus emprunter. L'échec m'a beaucoup appris. Il m'a humainement enrichi. Il m'a obligé à m'ouvrir aux autres avec une attention et une réserve qui ne m'étaient pas naturelles. Il m'a aussi convaincu d'adopter une attitude plus modeste, en tout cas moins arrogante que celle que j'avais trop souvent avant...

Il y a une autre raison au souvenir mitigé que m'a laissé le 6 mai 2007. Au moment où je touchais au sommet de ma vie politique, j'essayais, sans succès, de sauver ma famille qui explosait sans que je puisse rien y faire. Il fallait être deux pour réussir cette tâche immense, visiblement j'étais seul. Au moment où j'aurais eu besoin de toutes mes forces, de toute mon énergie, une partie de moi était occupée à un autre combat qui, pour être intime, n'en était pas moins redoutable. De plus, je ne pouvais en parler à personne. Quand on est Président, qui peut imaginer et comprendre vos faiblesses ? Je garde le souvenir d'un grand moment de solitude au milieu de tant de joie et d'espérance collectives. Je n'ai pas bien vécu ce contraste. Et sans doute, même s'il ne s'agit en rien d'excuses, il a compté dans les erreurs de comportement qui m'ont souvent justement été imputées.

Je n'ai jamais auparavant évoqué dans le détail cet épisode de ma vie familiale qui m'a blessé, du moins à l'époque. Je suis en fait plus pudique qu'on ne le croit. Je suis embarrassé chaque fois qu'il me faut évoquer publiquement ce qui ressort de l'intime. Et puis je considère profondément déplacé de critiquer une personne avec qui l'on a vécu et qui de plus se trouve être la mère de vos enfants. Je m'y suis refusé alors que la crise était brûlante ; pourquoi le ferais-je alors que la vie fut si généreuse en me permettant de refonder une famille avec Carla, sans parler de ce miracle qu'a été pour nous, à l'Élysée, la naissance de notre fille Giulia ? Bien évidemment, je ne mettais pas sur le même pied mes responsabilités de Président et mes soucis familiaux ; néanmoins, je ne pouvais m'extraire de ce contexte particulier. Il se trouve qu'en France le nouveau Président n'entre en fonctions que douze jours après avoir été élu. S'ouvre ainsi une période étrange où le véritable Président est celui qui finit son mandat et où le nouvel élu doit attendre avant de prendre ses fonctions. C'est dans ces conditions que j'ai pensé, à tort, que cinq jours sur le bateau d'un vieil et fidèle ami seraient utiles au sauvetage de ma famille. Bien mal m'en a pris puisque ce fut un cauchemar personnel autant que médiatique. Vincent Bolloré n'avait aucun contrat avec l'État. Nous nous connaissons depuis trente ans, j'ai beaucoup d'affection pour lui, et il ne me doit en rien sa très brillante réussite industrielle. Mais le symbole se révéla caricatural. Une aubaine pour mes adversaires : « Sarkozy sur le bateau d'un riche industriel ». Pour une première expérience personnelle de croisière, on ne pouvait imaginer pire. J'aurais dû anticiper, me méfier, faire passer mon nouveau statut présidentiel avant toutes choses. Ce fut une erreur de jugement incontestable. Encore aujourd'hui, je me demande comment j'ai pu commettre un tel impair. Comme quoi, même lorsque l'on s'imagine avoir une grande expérience, on n'est pas à l'abri d'une faute qui vous entraîne dans un tourbillon médiatique. Pour le coup, je peux dire que cela m'a servi de leçon.

Sur le fameux dîner du Fouquet's, je ne ferai pas le même constat. Car dans ce cas d'espèce, il y a eu beaucoup de désinformation. J'avais besoin pour le dimanche du second tour d'un restaurant pouvant accueillir une soixantaine de mes proches, et qui, si possible, ne serait pas trop éloigné de la Concorde, où j'avais prévu de retrouver mes partisans après la victoire qui nous était promise par tous, mais aussi de la salle Gaveau où j'avais fait mon premier discours de Président. Le Fouquet's semblait approprié. Il y a de nombreuses adresses de restaurants à Paris plus prestigieuses ou plus onéreuses. La polémique prospéra malgré tout. Deux journalistes ont même rédigé un livre sur cette soirée et sur ce lieu dans le seul but de la caricaturer et de la moquer. La littérature n'en fut certes pas révolutionnée, mais le piège fonctionna à merveille. Je commençais à devenir « bling-bling », ce qui s'accordait parfaitement avec mon amour supposé de l'argent. Cela dura ainsi tout mon quinquennat. Je me disais – la suite confirmera que j'ai eu bien tort – que s'ils n'avaient que cela à me reprocher, personne ne serait dupe. Je ne répondis donc pas. Là fut ma grande erreur. Je n'ai pas mesuré la portée symbolique de ce lieu, et ne m'en suis donc pas expliqué à temps. En fait, la soirée de victoire, je l'ai essentiellement passée à la Concorde et à la salle Gaveau. Les Français pensèrent que je l'avais passée au Fouquet's.

Au moins m'est-il permis de m'expliquer aujourd'hui sur mon comportement et sur celui de mon concurrent lors de la dernière élection présidentielle. Car je ne peux m'empêcher de penser à l'arroseur arrosé quand je me remémore notre débat de l'entre-deux-tours, au cours duquel le futur Président prit une pause étudiée pour me donner une leçon sur mon comportement, sur l'étalage de la vie privée auquel je m'étais livré, sur la nécessaire sobriété « janséniste » qu'impliquait l'exercice du pouvoir et qu'il s'imposerait une fois devenu Président. Je ne sais ce que le François Hollande de 2012 aurait à dire au Président d'aujourd'hui sur des sujets si délicats. J'en parlerai avec infiniment plus de retenue qu'il n'en a eu lui-même par le passé. Mais où inscrirait-il son propre comportement dans sa longue liste d'anaphores censées à l'époque me crucifier ? Je m'interdis d'évoquer sa vie privée. Je ne prendrai donc qu'un seul exemple, celui de l'avion présidentiel. Aurait-il imaginé, lui le Président « normal », utiliser si souvent et avec une telle aisance l'avion présidentiel surnommé « Sarko One » dont il n'avait cessé à mon époque de dénoncer l'achat comme l'usage ? À ma connaissance « Sarko One » n'a pas été vendu. Dois-je considérer qu'il est devenu légitime depuis qu'il transporte des éminences socialistes ? Tout cela prêterait juste à rire s'il ne s'agissait de la France, et s'il n'y avait eu tant d'autres erreurs beaucoup plus lourdes de conséquences à dénoncer. Je n'en fais pas ni n'en ferai un argument de campagne, mais il y a des moments où on a le devoir de dire : « Trop c'est trop ! »

Je suis conforté depuis longtemps dans l'idée que mieux vaut s'abstenir de donner des leçons de morale. L'effet boomerang est toujours d'une violence proportionnelle à l'attitude initiale. Aujourd'hui, pensant aux électeurs de la gauche, je peux imaginer leur colère et leur désappointement. Le pouvoir est trop souvent un facteur de désenchantement. Confronté aux réalités quotidiennes, combien il est difficile voire impossible de conserver intact l'élan de la campagne. Mais quand le cynisme est de la partie, et que le mensonge est si prégnant, le risque est grand de voir les électeurs floués se retourner contre celui qu'ils ont porté au plus haut.

* * *

Avant le débat de l'entre-deux-tours, le 2 mai 2012 au matin, je reçus un appel de Valéry Giscard d'Estaing. Son intention était de me donner un conseil avant l'affrontement télévisé du soir : « Ne vous livrez pas à un combat de rue, ce n'est pas ce que les Français attendent d'un Président. Ne répondez ni aux attaques personnelles ni aux provocations. » Sa démarche me toucha. D'abord parce que j'admire son intelligence. Ensuite parce qu'il fit preuve d'une réelle gentillesse et d'une sincère humanité. De plus, il n'était pas obligé de me téléphoner. Giscard m'a-t-il convaincu ? Étais-je moi-même dans un état d'esprit moins combatif qu'il ne l'aurait fallu ? Toujours est-il que ma résolution fut prise cet après-midi-là de ne pas aller à l'affrontement avec mon contradicteur du soir. Une fois encore, je refusai de servir sur un plateau, à la critique systématique, l'argument de ma prétendue brutalité. Ce fut sans doute une erreur car elle déstabilisa nombre de mes partisans. Ces derniers m'attendaient en candidat combatif, neuf, énergique, au lieu de quoi j'essayai de paraître Président, posé, calme. Au regard de mes proches collaborateurs, je compris, dès la sortie du plateau télévisé, que je les avais, sinon déçus, du moins troublés. Là fut mon erreur. Dans ce face-à-face qu'est le second tour d'une élection présidentielle, spécialement au moment « paroxysmique » du débat de l'entre-deux-tours, les Français attendent un affrontement. Le faire à fleurets mouchetés, c'est comme leur voler le moment qui leur était dû. Bette Davis a dit justement : « La vieillesse, c'est pas pour les mauviettes. » Il en va pareillement pour les deux candidats qualifiés pour le second tour de la présidentielle. J'ai trop laissé mon concurrent mentir. Il s'y prit avec un tel aplomb qu'il le fit bien. Une nouvelle fois, je veux préciser que je n'éprouve aucun sentiment de revanche, car en l'espèce si je dois en vouloir à quelqu'un, c'est bien à moi et à personne d'autre. Quant à lui, je ne peux lui reprocher d'avoir été ce qu'il est. C'est moi qui, cédant à la pression qui ne vient pas toujours des adversaires, aurais dû être davantage moi-même. Une nouvelle leçon me fut ainsi donnée. Il ne sert à rien de vouloir jouer un rôle de composition. Personne n'est dupe. Pas même soi. J'ajoute que ce soir-là j'ai sans doute commis un péché d'orgueil, non que j'aie sous-estimé mon adversaire, mais le Président que j'étais n'était plus dans l'arène – en tout cas j'avais essayé de ne plus l'être durant les cinq années de mon mandat. J'avais tenté de me hisser au-dessus de la mêlée. C'était, du moins le pensais-je, ma place. La contre-partie fut qu'après cinq années dans la fonction de Président je n'avais plus la même agressivité ce soir-là. En revoyant le premier débat télévisé de Barack

Obama lors de sa seconde campagne, j'ai vu que lui aussi avait eu du mal à s'y remettre. Ce n'est pas une consolation, tout juste un commencement d'explication.

Le débat de l'entre-deux-tours de 2007 avec Ségolène Royal avait été lui aussi inabouti. J'y étais arrivé seul, Cécilia m'ayant annoncé le matin même sa volonté de divorcer. À vrai dire, ce n'était pas la préparation idéale... Cette fois-là, je fus aussi mis en garde, mais pour une tout autre raison. Il s'agissait d'une femme, et tout le monde s'accordait à juste titre sur le fait qu'un homme, dans ces conditions, ne pouvait se permettre d'être agressif. Il s'est ajouté à cela un élément tout à fait subjectif. Aussi curieux que cela puisse paraître, ce soir-là, Ségolène Royal m'a touché, non qu'elle ait été, loin de là, aimable, ce n'est pas son genre... Cornaquée par Julien Dray, elle a même eu du mal à me serrer la main. J'ignorais tout de sa situation privée, et pourtant j'ai tout de suite senti quelque chose d'imperceptible, mais dont j'étais convaincu. Ce n'est pas anodin de s'asseoir à la table d'un débat qui va se dérouler devant plus de 20 millions de téléspectateurs, et où va se jouer votre destin, sans corde de rappel. Élu ou battu. On gagne tout ou on perd tout. Il n'y a pas de juste milieu, pas de compromis, pas d'autres moyens que de se battre pour triompher. Et pour cela il faut faire chuter celui ou celle qui se trouve en face de vous. Difficile d'imaginer une situation plus brutale. Alors, forcément, tous les sens sont en éveil, et notre sensibilité en est exacerbée. J'ai senti ce soir-là chez ma concurrente une fêlure. Derrière la candidate, dans sa réserve, qui n'était pas hautaine, je percevais qu'une épreuve personnelle était en train de se nouer. Sans doute ai-je été réceptif à sa souffrance parce que d'une certaine façon je ressentais la même. La seule différence, mais cela comptait beaucoup, était que, dans mon cas, la presse ne cessait d'en parler. Pour elle, les choses étaient infiniment plus feutrées, alors même qu'elle vivait déjà séparée de son compagnon. Avec le recul, j'ai ressenti l'ironie d'une situation où les deux champions de la droite et de la gauche, au moment où ils luttaient pour rassembler la France, constataient l'explosion en plein vol de leurs familles.

* * *

Je me suis souvent posé cette question, aussi étrange que cela puisse paraître : pourquoi ai-je cet amour immodéré de la politique avec ses faux-semblants, ses chausse-trappes, ses illusions, ses mensonges, ses zones d'ombre, ses jeux de miroirs, parfois même ses perversités ? Le paysage politique est si peu constitué d'authenticité. Je l'ai vu avec éclat au lendemain du premier tour des régionales où ceux qui m'avaient prêté tant de serments d'amitié tournèrent casaque sans état d'âme. Or j'ai bien des défauts, mais jamais on ne m'a reproché d'aimer le mensonge, le trucage, la lâcheté. Je reconnais cependant cette contradiction que je porte au fond de moi. J'aime un monde où le mensonge est quotidien.

Après mûre réflexion, je crois que si j'aime la politique, c'est parce qu'elle est la quintessence de la vie. Et j'aime tant la vie ! Cela peut sembler ridicule, mais j'ai gardé l'enthousiasme de ma jeunesse parfaitement intact. Enthousiaste, j'étais. Enthousiaste, je reste. Et optimiste en plus. Ce n'est pas un choix, c'est une question de caractère vraisemblablement inné. La politique, c'est la vie sous une loupe grossissante. Ce sont les émotions de tous les jours vécues dix fois plus intensément. Les sentiments y sont exacerbés. Les événements s'y précipitent avec une rapidité stupéfiante. Au fond, quand je fais de la politique, j'ai le sentiment de vivre pleinement. Même lorsqu'il y a des épreuves, même lorsque c'est difficile. La politique, c'est la vie en concentré.

Si ce livre a un sens, peut-être une utilité, c'est que le moment était venu de la clarté. J'ai voulu faire cet effort d'aller chercher, au fond de moi, ma vérité : sur mes erreurs comme sur mes réussites. Je veux vous dire, sans façon, sans artifice, ce que j'ai vraiment fait, et ce en quoi je crois pour l'avenir. Le seul verdict qui m'importera vraiment sera le vôtre, celui des lecteurs de tout horizon politique que je cherche moins à séduire qu'à inciter à comprendre la complexité des situations et l'enchaînement des événements. Ces pages ont juste l'ambition d'être sincères.

Je connais la terrible crise de confiance que suscitent la politique et les politiques. Je ne veux en aucun cas m'exonérer de ma part de responsabilité personnelle dans cette situation. Mais peut-être verra-t-on dans cet exercice d'écriture une exigence d'authenticité pour rétablir la confiance. Je veux m'adresser aux Français dans leur ensemble. Je souhaite poser les bases d'un dialogue fiable, je veux essayer d'échanger des idées, de faire partager des espoirs, d'expliquer des projets. Mission impossible ? Peut-être. Mais au moins me serai-je exposé personnellement et aurai-je essayé. Cela fait bien longtemps que j'en avais envie. Chaque fois, je trouvais une « mauvaise raison » de me dérober. Pas le moment. Pas le temps. Pas l'envie. Aujourd'hui, j'ai franchi le pas. Je ne le conçois que face à face. C'est à vous que je veux parler.

3

L'expérience doit servir l'avenir

L a victoire était-elle possible en 2012 ? Oui, sans doute. On a beaucoup dit que j'ai davantage été battu que François Hollande n'avait gagné. Cette analyse n'est guère flatteuse pour nous deux, car elle laisse entendre que la campagne de mon adversaire était mauvaise et que, moi, j'étais honni. Le raisonnement est un peu court et fait litière de données absolument objectives. D'abord François Hollande a été un bon candidat, c'est d'ailleurs ce qu'il sait faire le mieux, être candidat. Le rôle lui allait à merveille. Il n'aime ni décider ni trancher. Son monde est celui de l'ambiguïté sympathique, où chacun est censé finalement trouver son compte. Durant les quelques mois d'une campagne, cela peut tenir. Cela a d'ailleurs marché. À l'inverse de tous les observateurs, je pensais que Dominique Strauss-Kahn serait plus facile à battre. Il est toujours plus aisé de combattre un adversaire où il y a de la « prise ». Le candidat Hollande n'en avait aucune. Loin de craindre la candidature du directeur du FMI, je la souhaitais. Je ne contestais en rien son intelligence, mais – et c'était bien avant l'épisode du

Sofitel –, je pressentais que, du point de vue comportemental, le crible approfondi auquel sont soumis tous les candidats à la présidentielle lui serait funeste. Quant à mon propre cas, j'ai pu rassembler un peu moins de un Français sur deux. Quel score aurais-je fait si j'avais été populaire ?

La vérité me semble devoir être cherchée ailleurs.

Depuis 2012, j'ai longuement repensé aux cinq années pendant lesquelles j'ai été à la tête de l'État. Absorbé par le quotidien, entravé par la lourdeur de la fonction et des décisions à prendre chaque jour, je n'avais ni la liberté ni la disponibilité pour agir et me regarder agir. Ce n'est qu'une fois retombé le rideau du palais de l'Élysée que j'ai pu faire l'analyse de ce quinquennat. Pas quelques jours après, mais, plus profondément, lorsque j'ai eu suffisamment de recul par rapport aux événements.

Beaucoup m'ont pressé de faire ce travail d'inventaire au plus vite. J'ai refusé de m'inscrire dans leur rythme. Un peu parce que mon caractère ne me porte guère à m'appesantir sur le passé. J'ai souvent trouvé ma force dans la capacité à avancer, sans avoir à me retourner chaque jour. Mais surtout parce que je savais que cette prise de distance requerrait du temps et que pour bien répondre aux questions essentielles il ne fallait pas quelques semaines de réflexion mais bien davantage.

Il y a deux questions majeures. La première porte sur le passé : qu'aurais-je dû faire différemment ? La seconde vise l'avenir : qu'est-ce qui, dans ces cinq années d'expérience de la fonction présidentielle, doit nous éclairer sur la manière de conduire les affaires de la France ? L'analyse du passé n'a de sens que par sa référence à l'avenir. C'est la véritable définition de l'expérience que de pouvoir s'appuyer sur le passé pour esquisser les contours des lendemains.

Ce travail ne peut être mené seul si l'on souhaite le faire tel qu'il doit être : objectif, clair, quasi chirurgical. J'ai souvent utilisé les quelques années qui se sont écoulées depuis la défaite de 2012 pour évoquer mon mandat avec mes proches, mais aussi pour réfléchir aux nombreux messages, commentaires, sentiments qu'un public très divers de femmes et d'hommes m'a adressés depuis cette date. Souvent sans rien laisser paraître, parfois en portant la contradiction point par point, peut-être aussi en donnant le sentiment de ne pas écouter, j'ai voulu prendre le temps de mettre de la cohérence, du recul et surtout de l'exigence dans cette réflexion.

La défaite de 2012 est, à mes yeux, la somme du désir d'alternance, de la crise mondiale de 2008 et de la perception de mon action.

La première tient à un désir d'alternance, après dix-sept années de présidence à droite. Force est de constater que le besoin d'alternance est devenu plus rapide et que les peuples ont, en Europe, accéléré leur volonté de changement. Rares étaient les gouvernants dans le passé qui n'effectuaient pas deux mandats. Rares sont ceux qui, aujourd'hui, parviennent à échapper à l'aspiration au renouvellement.

Plusieurs éléments entrent en compte.

Des résultats insuffisants, bien sûr, surtout dans les pays dont les responsables politiques ont des mandats courts, alors que les réformes qu'ils doivent engager nécessitent du temps pour obtenir des résultats. Le quinquennat est une réforme qui a profondément bouleversé la manière de faire de la politique. Au moment où la France devait engager des réformes lourdes dont les effets positifs prennent du temps à se concrétiser, le choix a été fait de réduire la durée du mandat présidentiel, sans que le nombre d'élections intermédiaires soit lui-même diminué. Finalement, le « temps utile » d'un mandat présidentiel, c'est-à-dire celui pendant lequel le président de la République est le plus libre d'agir, s'est trouvé profondément réduit, et avec lui sa capacité à obtenir des résultats immédiatement visibles sur des sujets majeurs comme le chômage ou la réussite scolaire.

On sous-estime également l'impact qu'ont, sur tous les gouvernements, deux autres éléments. L'évolution des pratiques de communication d'abord, avec la démultiplication des sources d'information et l'instantanéité des réseaux sociaux. Les attentes de l'opinion publique ensuite, marquées par une défiance croissante vis-à-vis des pouvoirs, dans des sociétés qui cultivent à la fois l'autonomie des individus et une quête de transparence absolue vis-à-vis de tous ceux qui exercent une forme de responsabilité. Je me suis souvent demandé ce qu'auraient été, dans les conditions actuelles, les présidences du général de Gaulle, de Georges Pompidou, de Giscard ou de François Mitterrand...

Le deuxième facteur tient à la crise de 2008, qui, par sa brutalité et son ampleur, a bouleversé le quinquennat et profondément renforcé ce désir d'alternance.

On oublie qu'au début du quinquennat le nombre de chômeurs était passé sous la barre des 2 millions, soit le plus faible taux de chômage depuis le début des années 1980, et que les déficits publics étaient inférieurs à 3 %. En l'espace de quelques semaines, l'ensemble de nos priorités ont dû être revues de fond en comble. L'objectif ne pouvait plus être le plein-emploi ou le désendettement de la France, mais le sauvetage de notre économie et du patrimoine des Français, de la pire récession qui frappait l'économie mondiale depuis 1929. En quelques mois, les recettes publiques de la France se sont effondrées de plusieurs dizaines de milliards d'euros, avec notamment moins 60 % pour les rentrées d'impôt sur les sociétés en 2009. D'où devant moi l'arbitrage suivant : devais-je couper dans les dépenses publiques pour éviter d'augmenter l'endettement de la France, ou laisser filer les déficits et la dette publique, mais protéger tous ceux qui, dans cette crise, ne pouvaient compter que sur les prestations sociales et les services publics pour l'affronter ?

En choisissant la seconde option, comme tous les autres gouvernements occidentaux, j'ai protégé le pouvoir d'achat des Français, en assumant une augmentation de la dette publique de la France. Moins d'impôts qui rentrent, plus de dépenses pour protéger les plus faibles, c'est un déficit qui augmente et, finalement, une dette qui s'accumule.

Cette augmentation de la dette publique n'a pas été propre à la France. Elle a été constatée partout, souvent bien plus fortement. Il n'y avait pas « Nicolas Sarkozy » en Allemagne, au Royaume-Uni, aux États-Unis, en Italie, en Espagne ou au Canada… Et pourtant, tous ces pays ont eu à gérer le même dilemme et ont dû accepter l'augmentation de la dette. Elle m'a été reprochée par la gauche pendant la campagne de 2012. Cela a été l'un des mensonges les plus graves de François Hollande.

En faisant croire que la dégradation de la dette publique était le résultat de prétendus cadeaux aux riches, il a menti sur les chiffres. En 2007, lorsque j'ai mis en place un bouclier fiscal pour éviter qu'un citoyen ne se voie prélever plus de 50 % de ses revenus de l'année, j'ai fait le choix d'une mesure qui m'apparaissait juste. Son coût était de 700 millions d'euros par an. Par comparaison, la chute des recettes fiscales sous l'effet de la crise et les dépenses nécessaires pour soutenir le pouvoir d'achat des ménages et leurs emplois se sont bel et bien comptées en dizaines de milliards d'euros.

Mais François Hollande s'est surtout enfermé dans son propre piège. Puisque la dette de la France, c'était « Nicolas Sarkozy », et pas la crise, elle devait disparaître comme par magie avec lui. Or, quatre ans plus tard, la dette atteint un niveau historique et la France est le pays d'Europe qui a connu la plus piètre performance. L'Allemagne et plusieurs autres pays européens ont entamé leur désendettement, la France n'a fait qu'en accroître le poids. Aucune circonstance économique d'exception ne peut le justifier : il n'y a pas eu de récession économique mondiale depuis 2012 ; les taux d'intérêt, le pétrole et l'euro sont à des niveaux historiquement bas ; les impôts sont à leur niveau record.

À l'époque, alors que le monde était confronté à une crise d'une brutalité inouïe, la gauche a refusé de nous rejoindre sur l'essentiel : le vote du plan de sauvetage de l'économie française. Quatre ans plus tard, un Président en échec plaide pour l'unité nationale face au chômage, alors même que la croissance est repartie dans de nombreux pays...

Je ne prétends pas avoir tout réussi, loin de là. Mais j'affirme que nous avons bien géré la crise en évitant les pires drames. De nombreux pays d'Europe ont sombré dans la récession pendant plusieurs années, pas la France. Des épargnants ont perdu leurs économies en Europe, des grandes banques se sont écroulées, pas en France. Des retraités ont vu leur pension amputée, des fonctionnaires leurs salaires baisser, pas en France. Et notre pays a été celui dans lequel le pouvoir d'achat a été le plus protégé.

Le troisième facteur de la défaite de 2012 est le plus complexe. Il me conduit à analyser ce que j'aurais dû faire différemment, à la fois dans la conduite des réformes et dans l'exercice de la fonction présidentielle. À aller au cœur de mon quinquennat, au cœur de l'exigence de lucidité qui s'impose. À analyser des critiques contradictoires, qui me reprochent simultanément d'en avoir fait trop et pas assez... D'être allé trop vite ou pas suffisamment...

Dans un agenda totalement chamboulé par la crise, ma fierté est d'avoir engagé des réformes que j'estimais essentielles, et d'en avoir maintenu le rythme, bien que les circonstances eussent radicalement changé. Beaucoup auraient probablement appuyé sur le frein, voire cessé d'agir au prétexte des événements. Je ne l'ai pas voulu.

En l'espace de quelques années, nous avons mis en œuvre des réformes difficiles, critiquées avec une rare violence par l'opposition et pourtant jamais remises en cause : l'autonomie des universités, la réforme de la carte judiciaire, le service minimum dans les transports les jours de grève, la question prioritaire de constitutionnalité, la réforme des régimes spéciaux de retraite, la retraite à 62 ans, la rupture conventionnelle du contrat de travail, la suppression de la taxe professionnelle, ou encore, autre exemple, la fusion de l'ANPE et de l'Unédic.

J'ai également engagé des réformes qui furent remises en cause de façon injustifiable comme la suppression d'emplois dans la Fonction publique d'État, le jour de carence pour les fonctionnaires ou les heures supplémentaires.

Certaines furent rétablies. L'exemple le plus illustratif est évidemment la TVA sociale, mesure politiquement très difficile, que j'ai engagée à la fin de mon quinquennat. Pendant toute la campagne présidentielle, les socialistes ont expliqué que la France n'avait pas de problème de coût du travail, que les causes du chômage étaient ailleurs. En niant l'évidence, le poids des charges pesant sur le travail en France, cette gauche-là avait quinze ans de retard sur Lionel Jospin qui, Premier ministre, avait commandé un rapport sur ce sujet...

Mise en œuvre dans de nombreux pays, notamment en Allemagne, la TVA sociale visait à réduire les charges sur le travail et à augmenter en contrepartie la taxe sur la consommation. Le travail coûtant moins cher aux entreprises, cette mesure devait permettre de créer des emplois et surtout de faire davantage contribuer les importations au financement de notre protection sociale.

L'annulation de la TVA sociale a figuré parmi les premières mesures du nouveau Président. Quelques mois plus tard, il augmentait la TVA pour financer son pacte de responsabilité, c'est-à-dire la baisse des charges patronales...

J'ai enfin mis sur la table des débats qui m'apparaissaient indispensables, et qui, rétrospectivement, se sont imposés comme incontournables.

Le premier concerne Schengen, dont j'avais indiqué, en 2012, qu'il ne fonctionnait plus. À l'époque, l'opposition et même une partie de ma majorité m'ont accusé de dérive droitière et de nationalisme exacerbé. Trois ans plus tard, faute d'avoir traité ce sujet, l'Europe est confrontée à une remise en cause totale : plusieurs pays, à commencer par l'Allemagne, ont rétabli unilatéralement des contrôles aux frontières, et des murs s'érigent entre les pays d'Europe.

Le deuxième débat concernait la nationalité française. Dès 2010, j'ai indiqué qu'elle n'était pas un dû, et que les personnes bénéficiant d'une double nationalité devaient la perdre si elles étaient convaincues d'actes criminels, y compris terroristes. J'ai été, en retour, accusé de tous les maux par l'opposition. Cinq ans plus tard, le président de la République convoque un congrès pour l'adopter.

Le troisième débat concerne l'identité française et mon refus du communautarisme. J'ai alerté sur les nombreuses dérives constatées sur le territoire. En faisant voter l'interdiction de la burqa et du niqab, en étant ferme sur le respect de l'absence du port du voile à l'école ou par les agents du service public, en plaidant pour un strict respect de la laïcité, en défendant une vision ferme de l'intégration, je me suis heurté à une multitude d'attaques m'accusant de courir après le Front national. Tout montre aujourd'hui à quel point, à vouloir nier l'évidence, on risquait d'être rattrapé par la réalité des faits. Tel est bien le cas aujourd'hui.

Avoir raison avant l'heure n'est pas nécessairement avoir tort...

Avec le recul, j'ai la certitude d'avoir mis en œuvre des réformes qui allaient systématiquement dans le sens de celles engagées dans la plupart des pays européens et qui étaient cohérentes avec notre impératif de compétitivité. En réformant les retraites, en baissant le coût du travail, en réduisant le nombre de fonctionnaires, en réformant l'Administration, j'ai fait des choix que j'estimais cohérents avec ceux engagés par nos partenaires. Pendant cinq ans, la France n'a jamais nagé à contre-courant en Europe. C'est une différence majeure avec la politique menée depuis près de quatre ans. Dans quel autre pays augmente-t-on le nombre de fonctionnaires d'État ? Où a-t-on assisté au même choc fiscal ? Où multiplie-t-on les contraintes sur les entreprises, alors que le nombre de leurs défaillances et de leurs faillites n'a jamais été aussi élevé ?

Ce que je revendique comme succès ne m'exonère d'aucune insuffisance. Je veux analyser les deux avec la même exigence.

Aujourd'hui, je regrette d'avoir retardé des réformes qui auraient dû être engagées dès les premiers jours de mon quinquennat.

La baisse des charges sur les entreprises aurait dû être immédiate et surtout plus forte. J'ai mis en œuvre la TVA sociale trop tard. Nous avons un déficit massif d'emplois à la fois dans l'industrie et dans les services. Le progrès technique détruit de l'emploi peu qualifié dans l'industrie, et dans le même temps nos créations d'emplois dans les services sont trop faibles pour compenser. Une partie importante de ce déficit pourrait être résorbée par une réduction drastique des charges pesant sur le travail, en particulier peu qualifié. Nombre d'économistes le disent depuis des années, et les travaux sérieux l'ont démontré avec une grande précision, notamment en analysant l'impact de l'exonération totale de charges que nous avions mise en place pour de nouvelles embauches dans les petites entreprises, de manière clairement trop temporaire, pendant la crise.

Au fond, les mesures fiscales votées au début de mon quinquennat auraient dû être différentes dans leur dosage. En lieu et place de la déductibilité des intérêts d'emprunt pour les ménages, mesure qui n'a pas fonctionné, j'aurais dû donner la priorité immédiate à la baisse massive des charges sur le travail, accompagnée d'une diminution drastique du nombre de normes. À choisir, entre la suppression de la taxe professionnelle, qui s'est révélée très lourde et d'une rare complexité, et la baisse des charges pesant sur les salaires, j'aurais dû mettre la priorité sur la seconde. C'est aujourd'hui à mes yeux une évidence.

J'aurais également dû aller au bout de deux sujets, plutôt que de les contourner : les 35 heures et l'ISF.

En choisissant la voie de l'exonération des heures supplémentaires et du bouclier fiscal, j'ai opté pour des solutions qui m'apparaissaient plus acceptables. C'était une erreur. Le coût politique fut le même, mais j'ai donné le sentiment de ne pas avoir tranché. En dépit de ses vertus, l'exonération des heures supplémentaires, qui a permis à près de 9 millions de salariés de recevoir l'équivalent de 500 euros de pouvoir d'achat supplémentaire par an, ne modifiait pas suffisamment les 35 heures. Vu de l'étranger, la France restait un pays qui travaillait moins, et la complexité des 35 heures pour les chefs d'entreprise demeurait. Le bouclier fiscal, pour habile qu'il fût d'un point de vue technique, m'a exposé à un coût politique, sans faire suffisamment rentrer les personnes parties vivre à l'étranger pour des raisons fiscales, qui ont continué de craindre, à juste titre, sa remise en cause.

J'ai fait le choix, dans les premières années de mon quinquennat, d'ouvrir beaucoup de sujets, parce que je considérais que, dans bien des domaines, le changement ne pouvait attendre.

Ce raisonnement avait une vertu : mettre en mouvement l'ensemble des administrations, engager tous les ministres dans une dynamique de réformes. L'action plutôt que l'inertie, le pouvoir en action plutôt qu'en réaction, une présidence qui domine au lieu de subir.

Cette stratégie a eu cependant trois limites.

Elle a d'abord donné le sentiment d'une abondance de réformes simultanées, au détriment d'une hiérarchie infiniment plus précieuse de réformes prioritaires. Le temps politique doit être concentré sur un petit nombre de priorités, donnant lieu à des réformes immédiates, massives, complètes. En ajoutant en permanence de nouveaux sujets, on augmente son exposition politique, au détriment des sujets essentiels.

Elle m'a ensuite empêché d'utiliser pleinement la partie la plus utile du quinquennat, celle qui s'ouvre le jour de l'élection et se termine quelques mois plus tard. Je n'aime pas l'expression « période de grâce », parce qu'elle est caricaturale. Mais il est clair que le Président est plus libre d'agir durant la première année de son quinquennat, au sortir de son élection, plusieurs mois avant l'échéance électorale intermédiaire suivante. Cette période aurait dû être davantage mise à profit pour engager les réformes les plus lourdes et dont les effets peuvent prendre du temps.

Elle m'a enfin compliqué la tâche indispensable du suivi de la mise en œuvre du changement.

En matière fiscale, j'ai laissé la communication des mesures du début du quinquennat être portée directement par la ministre de l'Économie. C'était une erreur. Le Premier ministre et moi-même aurions dû nous impliquer davantage pour lutter contre la campagne de désinformation qui les a accompagnées. Avoir laissé ces mesures être caricaturées comme des « cadeaux aux riches » a été un raté de communication grave, alors même qu'elles s'adressaient pour l'essentiel aux classes moyennes : défiscalisation des heures supplémentaires, déductibilité des intérêts d'emprunt, baisse des droits de succession pour les petits patrimoines, telle était la réalité du paquet fiscal du début du quinquennat. Le fameux bouclier fiscal, qui représentait moins de

10 % de son coût, a représenté 100 % de la caricature. Et, ironie de l'histoire, la mesure mise en place par les socialistes en lieu et place du bouclier fiscal (le plafonnement) coûte aujourd'hui plus cher aux contribuables...

En matière de sécurité, l'enquête de victimisation de l'Observatoire national de la délinquance a montré, sans contestation possible, que la délinquance avait baissé, dans ses principales composantes, durant mon quinquennat. Mais innombrables étaient les Français qui attendaient une reprise en main plus forte et plus visible dans certains quartiers, car ils n'acceptent plus d'y voir les forces de l'ordre ou de secours s'y faire caillasser, les honnêtes gens y vivre dans l'angoisse, les jeunes y être confrontés à la tentation de la délinquance dès la sortie de l'enfance. Au-delà des réformes de la politique pénale, notamment de la mise en place des peines planchers, j'aurais dû gérer de manière plus étroite notre politique de sécurité dans les territoires aujourd'hui en marge de la République.

Le RSA constitue un autre exemple d'une réforme utile dans son principe, mais qui, dans sa réalisation, s'est éloignée de son objectif premier. La mise en place du Revenu de solidarité active devait être un tremplin vers la formation et l'emploi, pas seulement une prestation sociale. Le Revenu minimum d'insertion (RMI) avait perdu le I de l'insertion quasiment dès l'origine, avec la moitié des départements qui n'en faisaient pas une contrepartie réelle à la perception d'un revenu. Le RSA, même s'il a contribué à creuser l'écart entre celui qui travaille et celui qui ne travaille pas, ne s'est pas suffisamment centré sur le A de l'activité. Ce fut un échec.

D'une manière générale, dans un pays qui croule sous les normes et vit une véritable prolifération de textes, chaque ministre doit veiller à réduire les textes qui entravent, qui empêchent, qui bloquent. C'est à cela qu'il devrait principalement consacrer son énergie, bien davantage qu'à édicter de nouvelles normes. Telle n'est généralement pas sa priorité réelle, tant la volonté de laisser une marque le pousse à mettre en place une nouvelle loi portant médiatiquement son nom. La nouvelle loi laisse une trace, la suppression de normes aucune.

Ayant été moi-même ministre avant d'être président de la République, je ne m'exonère pas de responsabilité en la matière. Mais il revient, dans ces conditions, au Premier ministre, et derrière lui au président de la République, de rappeler l'ensemble du gouvernement à la réalité première : notre économie ne renouera pas avec la croissance tant que les entreprises, les artisans, les travailleurs indépendants, les agriculteurs et des secteurs entiers, à l'image du logement, verront leur quotidien entravé par une avalanche de textes. C'est ce que nous n'avons pas suffisamment fait. J'aurai dû être beaucoup plus exigeant et volontariste dans ce domaine.

Au final, la droite n'a, au pouvoir, pas suffisamment montré sa différence sur cette question des normes, alors même qu'elle est par nature bien plus réticente à l'intervention permanente de l'État. Même si la comparaison avec le gouvernement actuel nous est favorable, compte tenu des graves conséquences qu'a, par exemple, la mise en place du compte pénibilité pour les petites entreprises ou du tiers payant généralisé pour les médecins, nous n'avons pas freiné l'emballement de textes législatifs et réglementaires.

La question des normes soulève un autre sujet : celui des rapports entre le gouvernement et la haute administration.

À mon arrivée au pouvoir, contrairement à ce que la gauche avait largement pratiqué dans le passé, je me suis abstenu de changer les directeurs d'administration centrale en place. Certains nous étaient cependant clairement hostiles. Le nombre de fuites dans la presse de projets, supposés ou réels, du gouvernement était important. Finalement, la confiance que plaçaient en conséquence les ministres dans leurs directeurs d'administration était relative, et celle qu'ils recherchaient dans leur cabinet excessive. À ne pas avoir remplacé plus largement les hommes, nous avons probablement trop fragilisé le lien entre les ministres et leurs services, alors que l'un ne peut fonctionner sans l'autre.

Cette lucidité sur la politique que j'ai mise en œuvre pendant cinq ans, je me l'impose également sur la manière dont j'ai exercé la fonction de président de la République.

La fonction présidentielle est lourde, très lourde. Elle écrase du poids de ses responsabilités, de l'ampleur de sa charge, de la complexité des décisions à prendre. L'urgence y est quotidienne. Le rythme effréné. La tension permanente. La portée des symboles extrême.

Même si je m'étais préparé à son exercice, habiter la fonction présidentielle m'a pris du temps, plus en tout cas que je ne l'avais imaginé. Tout au long de ma vie, j'ai cultivé et revendiqué ma liberté, il m'a fallu plus de temps que de raison pour dompter mon tempérament et l'acclimater à l'exigence présidentielle. Je suis resté quelques mois de trop « l'homme », alors qu'il aurait fallu être immédiatement le Président. L'homme cède à la colère quand il est pris à partie au Salon de l'agriculture. Le Président, non. L'homme sous-estime la portée du symbole quand il va sur un yacht. Le Président, non. L'homme défend son fils quand il juge l'attaque injuste. Le Président veille d'abord au message perçu par l'opinion publique.

L'opposition socialiste a parfaitement su exploiter ce décalage, bien plus que ne le fait la droite depuis quatre ans vis-à-vis d'un président de la République oubliant, au quotidien, chacun des engagements du « Moi, Président ». Le boomerang auquel s'est exposé mon successeur n'enlève rien au constat me concernant.

Comme je l'ai déjà exprimé, mon caractère m'a toujours porté à la franchise. Ce trait n'est pas le plus partagé. Il a pu conduire certains de mes interlocuteurs à me trouver cassant. Là où je mettais de la franchise, eux voyaient de la dureté. Plus habitués que moi à un univers policé, où il faut lire entre les lignes et s'exprimer à demi-mots, ils pouvaient ne pas s'estimer traités comme ils auraient souhaité l'être.

J'assume cette différence. À force de ne pas se dire les choses clairement, entre responsables politiques, avec les chefs des plus grandes entreprises, avec les journalistes ou avec tous ceux qui ont des responsabilités, on entretient les illusions sur ce qui fonctionne ou pas. On tait les insuffisances, on masque les responsabilités, on minore ce qu'il faut changer.

Bien sûr, l'âge et l'expérience aidant, j'ai appris à mesurer cette franchise. Mais elle reste, à mes yeux, une exigence dans le discours politique. Les Français veulent qu'on leur parle clairement. Que les réponses soient limpides. Que l'on sache si l'on fait ou si l'on ne fait pas. Comment prétendre être francs avec eux si nous ne le sommes déjà pas entre nous ?

Choisir ses mots reste, en revanche, un impératif pour ne pas heurter et, au final, nuire à l'efficacité du changement voulu. J'ai, dans ce domaine, trop souvent méconnu cette exigence. Je regrette, par exemple, que mon ambition réformatrice dans le secteur fondamental de la recherche universitaire ait pu souffrir de l'incompréhension provoquée par ma manière d'interpeller trop librement les chercheurs lors d'un discours que j'ai prononcé à l'Élysée en janvier 2009. Mon intention n'était pas de les provoquer, mais d'insister sur l'ampleur des changements nécessaires. Faute d'avoir choisi les bons mots, j'ai donné le sentiment de les caricaturer, affaiblissant par là même mon action.

À l'aune des cinq années de mon quinquennat, je considère que la gestion du temps sera la clé de la réussite du prochain mandat du candidat de la droite. À trop se concentrer sur la conquête du pouvoir, on en oublie les conditions de son exercice. Or c'est bien tout autant dans les moyens que dans les idées que se jouent les résultats obtenus une fois en fonction.

4

L'impératif de la clarté

L a campagne de 2012 n'a donné aucune opportunité de trancher le moindre débat. Les mensonges de mon contradicteur l'interdisaient, même s'ils permirent à ce dernier de l'emporter. D'un côté, une droite trop habituée au pouvoir. De l'autre, une gauche trop long-temps sevrée. Cette réalité ne peut être ignorée lorsqu'on évoque la campagne de 2012 et les raisons de ma défaite.

Ce qui est exact, en revanche, c'est que la campagne en elle-même fut décevante quant aux débats de fond, nécessaires, et qui n'ont pas eu lieu. J'en ai certaine-ment une part de responsabilité. Souvent, dans notre pays, on préfère composer des slogans, des attitudes en général martiales, des postures toujours au service d'une image plutôt que de consacrer du temps à la réa-lité des défis à affronter. Ainsi, baisser les impôts, c'est vouloir faire des cadeaux aux riches. Diminuer l'im-migration, c'est faire preuve d'inhumanité. Réduire les dépenses publiques, c'est stigmatiser les fonctionnaires. Interdire la burqa, c'est être islamophobe. Remettre en cause le code du travail, c'est être un exploiteur. Exiger le respect de la vie privée, c'est s'opposer à la démocratie. Rappeler la présomption d'innocence, c'est se trouver du côté des corrompus… Au fond, et ce sera bien le seul avantage dans la situation où nous allons trouver la France, notre pays sera tellement le dos au mur qu'il n'aura d'autre alternative que de se préparer à des changements d'une profondeur jamais connue ni peut-être même envisagée. Autrement dit, le choix de 2017 consistera ni plus ni moins à changer notre modèle afin de retrouver ambitions et espérances, ou bien voir la France sombrer dans la stagnation puis la régression. Pour être en mesure de le faire, la droite républicaine devra annoncer clairement ses projets et s'y tenir. La meilleure façon de combattre la caricature de nos adversaires sera d'être le plus pédagogue, le plus franc et le plus précis possible. Il conviendra également de nous limiter aux propositions les plus fortes et les plus utiles. L'époque n'est plus aux 110 propositions de François Mitterrand ou aux projets qui, à vouloir embrasser toutes les problématiques, n'en affrontent finalement aucune. Il conviendra aussi d'avoir le courage – car il en faudra – de refuser les compromis qui au début rassurent tout le monde et à la fin déçoivent chacun, et surtout ne permettent pas de résoudre les problèmes français. Dans la situation vitale où va se retrouver notre pays, la question ne sera pas d'organiser le dialogue, fût-il social, mais de mettre en œuvre une action vigoureuse seule à même de nous permettre de retrouver la croissance et le plein-emploi qui sont deux objectifs aussi crédibles qu'indispensables.

J'ai déjà évoqué la question du paritarisme et des corps intermédiaires, inamovibles et omniprésents. Je veux revenir sur deux notions bien différentes dans mon esprit : le paritarisme et la concertation. La concertation est de plus en plus nécessaire dans le monde imprévisible et violent qui est le nôtre. Mais il suffit de prendre la mesure du rôle prépondérant que jouent Internet et les réseaux sociaux pour comprendre que le dialogue est impossible dans les mêmes conditions qu'autrefois. Ces grandes messes qui rassemblent, pour chaque organisation, trois délégués, le plus souvent inconnus du grand public, autour d'une table recouverte de feutrine, et qui consistent en monologues interminables et soporifiques, ne sont plus du tout adaptées au monde qui est le nôtre. Durant ces séances, on ne discute pas. On attend que cela se passe. Quant aux déclarations à la sortie, en réalité elles ont été préparées avant sans qu'il soit tenu compte du contenu des débats. La concertation aujourd'hui se doit d'être plus instantanée, plus diffuse, plus authentique. Chacun peut à tout moment donner son avis sur Twitter. Nul besoin d'attendre le résultat des sondages. Ils sont accessibles dans la seconde.

Quant à notre paritarisme, chacun peut comprendre qu'en fait il met les organisations syndicales en position intenable pour orchestrer les échanges, car elles se retrouvent tout à la fois juges et parties. Ainsi, l'assurance chômage est gérée par les partenaires sociaux. Comment leur demander d'être à la fois arbitres, censeurs et réformateurs d'un système qu'ils contrôlent complètement ? Sans parler de conflits d'intérêts, il est légitime à leur propos d'évoquer la confusion et le mélange des genres. À l'arrivée, la France le paie de temps perdu, de dépenses d'énergie inutiles ou de retards multiples. J'entends déjà les commentaires de tous ceux qui ont un intérêt objectif à ce que rien ne bouge. Je vais me voir accusé de bafouer le dialogue syndical, de tentation dictatoriale, de brutalité enfin démasquée... Entre autres. Mais réveillons-nous, ce que l'on appelle le « dialogue syndical » n'est le plus souvent qu'un dialogue de sourds. Nous sommes restés à l'époque de la lutte des classes, à la préhistoire des rapports sociaux dans notre pays. Changer profondément les règles du jeu, c'est se donner la possibilité d'un nouveau dialogue, débarrassé des pesanteurs d'un passé trop lourd. Autrement dit, la concertation doit être constante, quasi quotidienne, afin d'éviter la mise en scène qui conduit chacun à adopter une posture, à jouer un rôle de composition plutôt que d'entrer de bonne foi dans la discussion.

* * *

Les exemples de blocages auxquels ont conduit ces faux-semblants de débats sont légion. L'immigration en offre une illustration quasi caricaturale, car les décisions qu'il va maintenant nous falloir assumer n'iront pas de soi. Il s'agit ni plus ni moins de refuser l'entrée du territoire national à des gens qui pour beaucoup fuient la grande pauvreté. Et pourtant leur refuser un séjour en France n'est pas une question de frilosité, de peur de la différence, d'égoïsme ou de manque de générosité, mais de bon sens, car nous ne pouvons plus faire autrement. La vérité est là, avec son incontournable brutalité. L'immigration, si elle n'est pas maîtrisée dans de très brefs délais, fera exploser notre pacte social, et de surcroît privera les pays d'émigration des forces vives dont ils auraient un grand besoin. En soi, le sujet est complexe, sensible, difficile, mais si en plus avec les « meilleures intentions du monde » les associations en charge de ces questions refusent de voir la réalité, alors le problème déjà si difficile deviendra inextricable, et la situation ne fera que dégénérer. Si chaque fois que quelqu'un essaie de réfléchir à ce défi sérieusement il se voit opposer un mur de protestations vertueuses, alors la « bombe » ne pourra qu'exploser. Il y a déjà eu beaucoup de dégâts. Nous avons déjà trop tardé pour espérer maîtriser la situation.

Durant ma présidence, j'avais été très marqué par l'affaire des campements illégaux d'Irakiens et de Kurdes le long du canal Saint-Martin à Paris au cours de l'année 2010. À l'époque, Jane Birkin avait téléphoné à l'Élysée pour nous sensibiliser, à juste titre, sur ce drame humain de familles avec enfants vivant en plein hiver dans des tentes. Avec l'aide efficace d'Éric Besson, nous avions pu en quelques jours mettre un gîte provisoire et des repas chauds à la disposition de ces malheureux. Des cars vinrent les chercher pour les transporter vers leurs nouveaux abris. À notre grand étonnement, ils refusèrent de monter dans les cars, au motif qu'il ne leur était pas donné un titre de séjour en bonne et due forme. Ainsi la réalité des intentions était-elle démontrée. Poussés par des associations menant un combat politique, il ne s'agissait donc pas de répondre à une situation d'urgence, mais de profiter de la médiatisation pour exercer un « chantage aux papiers ». Résultat : ces malheureux étaient de nouveau exploités, mais cette fois-ci au service du combat politique de l'extrême gauche. La majorité silencieuse de notre pays était exaspérée devant ces images de désordre, et le problème s'était donc encore envenimé. La gauche naturellement protestait au nom de la générosité. La droite écumait au nom du trouble de l'ordre public. La démocratie française donnait un spectacle désolant et immature.

Car il s'agit bien d'une question de maturité, ou au moins de lucidité. Elle touche, hélas, également ma propre famille politique. Révélatrice était cette remarque d'une jeune dirigeante de mon propre parti me recommandant avec insistance et sans doute avec sincérité de ne pas évoquer l'immigration ou l'insécurité comme premiers thèmes de débat pour l'élaboration de notre projet, par crainte que nous ne donnions une « image trop droitière ». Comme si c'était le problème, comme si les sujets régaliens qui sont à la charge exclusive des responsables politiques, à la différence des problématiques économiques, devaient être réduits à la seule question de l'image. Au fond, c'est assez consternant, car cela en dit long sur l'affaissement et la superficialité grandissante du débat politique. Le souci constant du paraître et de l'apparence empêche toute réflexion sérieuse. C'est peut-être la grande faiblesse de notre vie politique.

Je pourrais faire exactement les mêmes remarques s'agissant de la question centrale de la délinquance des jeunes telle qu'elle se présente aujourd'hui dans notre société. Nous sommes désormais confrontés à des actes

délictueux ou criminels commis par des auteurs de plus
en plus jeunes. Il est presque habituel, de nos jours,
de voir des racketteurs de quinze ans, des braqueurs
de seize et parfois des assassins du même âge. Leur
maturité physique et psychologique n'a plus rien à voir
avec ce qu'elle pouvait être il y a seulement trois ou
quatre décennies. Parler de « gamin » à leur propos
n'a plus aucun sens. Les déférer devant un « tribunal
pour enfants » relève du « non sens ». J'ai gardé un
souvenir ému de ma visite, il y a quelques années, au
tribunal pour enfants de Bobigny. J'y ai vu des quasi-
adultes, en tout cas par la taille et la force physique,
attendant de passer devant les juges en charge de leurs
dossiers. Certains étaient allongés dans le couloir. La
plupart s'ennuyaient ferme. Ils se déplaçaient à peine
lorsqu'on essayait de passer. Aucun, manifestement, ne
semblait le moins du monde inquiet ou en tout cas
avoir conscience qu'il se trouvait dans un tribunal pour
rendre compte de ses actes... Je me suis dit qu'il y aurait
donc un long chemin à parcourir avant que ces jeunes,
pour beaucoup délinquants chevronnés, respectent un
tant soit peu l'institution judiciaire. Il faut dire que,
ministre de l'Intérieur, j'avais été stupéfié d'apprendre
que des délinquants mineurs, parlant du président du
tribunal pour enfants de Bobigny, l'appelaient affectueu-
sement « le pote ». Cela en disait long sur la crainte
respectueuse qu'il était censé susciter... Je me souviens
également d'une visite à l'un des centres fermés pour
adolescents délinquants dont j'avais décidé la création.
Je pénétrai dans une pièce pour y discuter avec un jeune
Français de quinze ans originaire du Congo. Il refusa
de m'adresser la parole, indiquant qu'« il ne m'aimait

111

pas ». Je demandai au directeur pourquoi il était là : « Viol en réunion avec violence », me fut-il répondu. J'appris par la suite que c'était son deuxième viol, le premier ayant été commis alors qu'il avait douze ans.

Il nous faut maintenant ouvrir les yeux sur cette réalité qui doit bouleverser nos schémas de pensée. Si les nouveaux délinquants mineurs se conduisent comme des adultes délinquants, il convient de les traiter comme tels en supprimant l'excuse de minorité et en abaissant la majorité pénale à seize ans, ce qui veut dire en modifiant profondément l'ordonnance pénale de 1945 sur la délinquance des mineurs. C'est la sécurité de nos compatriotes qui se trouve en jeu. Nous avons le devoir d'agir vite et fort. Je suis certain, avec ces deux propositions, de déclencher une polémique à mes yeux parfaitement « artificielle », qui sera nourrie par quelques associations ultra-politisées et un climat médiatique où la larme à l'œil et le cœur brisé publiquement feront toujours recette. Mais quant au problème lui-même et aux réponses efficaces à lui apporter, qui pourra affirmer que j'ai tort ? En tout cas personne de bonne foi. L'eau claire se brouille sous l'effet de cette agitation intense qui, au final, ne laisse qu'un rideau de vase. Aucune importance, diront certains. Je ne partage en rien ce point de vue, car plus le temps passe dans cette inaction étudiée voire revendiquée, plus le peuple français, qui n'est dupe de rien, s'exaspère et donc se radicalise.

L'un des changements majeurs que nous aurons à porter est bien là. Les corps intermédiaires étaient utiles et incontournables au lendemain de la Seconde Guerre mondiale. Ils sont aujourd'hui, en tout cas pour certains d'entre eux, devenus un problème car leurs modes d'action n'a pas assez évolué. La vitesse des évolutions, des événements, des échanges exige une rapidité d'exécution sans précédent. La capacité d'attente des résultats dans nos démocraties s'est réduite comme une peau de chagrin. Les citoyens exigent des actes palpables, concrets, visibles. Les délais de réaction se sont raccourcis jusqu'à devenir infimes. Les réalités du marché mondial se font chaque jour plus pressantes. L'immédiateté est devenue la norme. Il est urgent pour la France de trouver un nouveau rythme démocratique. Les freins convenus doivent être desserrés. Les résistances artificielles doivent être écartées. Les atermoiements abolis. En un mot, les 66 millions de Français ne peuvent vivre à l'écart des 7 milliards d'individus qui peuplent la planète. Si l'information est immédiate, l'action ne peut être sans cesse différée. Cela ne signifie en aucun cas qu'il faille moins écouter, dialoguer, échanger. Il faut sans doute le faire plus, mais pour agir, pas pour repousser sans cesse les échéances. Cela ne signifie pas davantage que les organisations représentatives et catégorielles n'auront plus leur mot à dire, bien au contraire, elles l'auront à partir du moment où elles cesseront leur attachement au *statu quo* et qu'elles embrasseront résolument le défi que représente la préparation de l'avenir. Ma conviction est solidement arrêtée : en 2017, nous n'aurons pas le temps de prendre notre temps.

* * *

J'ai souvent observé que la droite a un comportement moins sectaire que la gauche. Cela tient au fait que la gauche est intimement convaincue d'être toujours du bon côté, d'avoir la vérité, de penser bien. La droite, qui croit au bon sens, au travail, au mérite, à la récompense, s'imagine rarement détenir un morceau « de la vraie croix ». Résultat : de l'idéologie pour les uns, du pragmatisme pour les autres, et ce déséquilibre politique médiatique contribue au décalage croissant entre le peuple et le discours véhiculé par les responsables politiques. Au lieu de se consacrer aux débats de fond qui devraient littéralement l'obséder, celui qui gouverne doit occuper une large partie de son temps à se défendre contre des images fausses, à démonter les idées biaisées, à éviter la construction de fables chaque jour plus éloignées de la réalité.

Parmi ces « fables » qu'il m'a fallu affronter s'en trouvait une qui devint un mythe, celui de l'« hyper-Président ». Cet hyper-Président bien à l'opposé du « Président normal », qui, comme on l'a abondamment vu ces trois dernières années, ne se mêle de rien, sauf lorsqu'il s'agit de choisir la nouvelle présidente de France Télévisions, de nommer un nouveau procureur de la République des Hauts-de-Seine ou d'envoyer son secrétaire général diriger la Caisse des dépôts et consignations...

Hyper ? La connotation se voulait ironique. Pourtant la fonction et la tâche ne prêtent guère à rire, ni même à sourire. Comment assurer à moitié ses responsabilités ? Qui pourrait se satisfaire d'un demi-chef ? Ni hyper. Ni normal. J'ai voulu tout simplement être Président. Celui qui assume ses responsabilités, ni plus ni moins. Quand je suis arrivé au pouvoir, la France avait à traverser tant de tempêtes, à affronter tant d'orages que le capitaine que j'étais n'avait pas d'autre choix que d'être aux manettes dans la salle des commandes vingt-quatre heures sur vingt-quatre, trois cent soixante-cinq jours sur trois cent soixante-cinq. Je ne prendrai qu'un seul exemple, car il illustre bien cette réalité, celui du soutien que le Président doit à chacun de ses ministres engagés dans une réforme difficile. Le petit jeu syndical à l'intérieur des ministères se décrypte facilement. Face à une réforme qu'ils refusent, les syndicats pilonnent le ministre en charge, l'isolent des autres, créent les conditions d'une fracture entre lui et le Président, jusqu'à ce que ce dernier finisse par le lâcher, enterrant ainsi et du même coup son ministre et sa réforme. Les exemples sont légion dans le passé, mais durant les cinq années de ma présidence, cela ne s'est jamais produit. J'ai toujours veillé à être solidaire de chacun des membres de mes gouvernements. Sans cette solidarité affichée, on ne peut pas réussir à faire passer une réforme. Ainsi, si je n'avais pas soutenu quotidiennement et inconditionnellement Valérie Pécresse, nous n'aurions pas réussi à mettre en œuvre la si difficile autant que nécessaire réforme sur l'autonomie des universités françaises. Vieux serpent de mer de la vie politique française, cent fois tenté, cent fois retiré. J'ai le souvenir de Luc Ferry, à l'époque ministre de l'Éducation nationale et des Universités, sommé par le président Jacques Chirac en 2004 de retirer ses projets pertinents d'autonomie à peine ceux-ci annoncés. Le ministre avait raison. Il voyait juste, mais que pouvait-il faire sans le soutien présidentiel ? Avec la courageuse ministre des Universités Valérie Pécresse, nous avons dû affronter plus d'une année de grèves et d'occupation de locaux universitaires.

Nous n'avons ni cédé ni reculé. Croit-on que cela aurait été possible sans une solidarité sans faille ? Alors bien sûr j'ai certainement pu donner l'impression de m'occuper des universités en direct. C'était d'ailleurs vrai, et j'ajoute légitime, or je ne l'ai pas fait pour empiéter sur les compétences de ma ministre, mais au contraire pour la renforcer. Avant elle, combien de ministres des Universités de droite comme de gauche ont dû retirer leur projet ? Ils sont légion. En cinq années, nous n'avons jamais fait marche arrière, et ce quel que soit le secteur ministériel concerné. Nous n'avons jamais cédé à la rue. Nous n'avons jamais, malgré les épreuves et les obstacles, battu en retraite. Ce fut tout aussi pertinent pour le service minimum dans les transports en commun les jours de grève que j'avais demandé à Xavier Bertrand de mettre en œuvre. Cette réforme a mis un terme aux blocages récurrents de la France lors de l'arrêt des services publics. Ce fut encore le cas pour la réforme des régimes spéciaux de retraite des cheminots, des électriciens, des gaziers auxquels absolument personne n'avait osé s'attaquer, ou encore pour le passage à soixante-deux ans de l'âge de la retraite dans le régime général où Éric Woerth put compter, malgré les polémiques indignes de l'affaire Bettencourt, sur mon soutien de chaque instant. Ainsi, et à la différence de ce qui s'était si souvent produit lorsque la droite était au pouvoir, jamais je n'ai laissé se créer un fossé entre le cœur de notre électorat et le gouvernement que nous incarnions.

Malgré les attaques. Malgré les critiques. Malgré les déceptions, nos électeurs ne furent pas dupes. Durant mon quinquennat, nous n'avons pas connu les affres du CIP, du CPE, de la loi Falloux, de la crise de l'école libre... Je ne rappelle pas ces vérités dans un souci égotique qui serait déplacé et même dérisoire, mais parce que les choses se sont passées ainsi et pas autrement. Le rappeler est seulement conforme au devoir d'honnêteté auquel je me suis engagé en commençant la rédaction de ce livre.

Je ne voulais donc pas « être ministre de tout », comme on l'écrivit à l'époque, mais souhaitais que partout les choses avancent. La centralisation du pouvoir habituelle en France et le poids institutionnel spécifique du président de la République ont pour conséquence que, si le chef de l'État ne s'engage pas dans l'action avec une volonté de fer, la force des pesanteurs est telle qu'il n'y a alors aucune chance que les réformes progressent. Certains auront beau parler d'une faiblesse de notre système, je crois au contraire que c'est une double force. D'abord parce que si « le Président » le veut, il le peut. La démocratie a besoin de leadership. Aucun système ou collectivité humaine ne peut fonctionner sans un chef. Ensuite, et peut-être surtout, parce que pour les électeurs il est aisé dans ce système de déterminer les responsabilités et de sanctionner celui ou celle qui, à leurs yeux, a failli. Si j'ai aujourd'hui, avec le recul, un reproche à me faire ou un regret à formuler, ce n'est certainement pas de m'être trop engagé dans le détail de l'action des ministres, mais au contraire de ne pas l'avoir fait assez, laissant ainsi trop de domaines où la réforme aurait dû être conduite avec plus d'énergie en situation d'immobilisme.

5

Pourquoi la culture
est un sujet présidentiel

Il est un secteur particulier où le président de la République ne doit pas se contenter de soutenir son ministre, où il doit même le précéder, c'est celui de la culture. Si le Président ne se préoccupe pas lui-même des arbitrages en la matière, le ministre en charge n'a aucune chance d'aller au bout de son action. Son budget est si faible. Son administration si entravée et si peu adaptée aux nouveaux défis culturels. Ses problématiques si larges que le chef de l'État se doit de manifester au quotidien son engagement au service de la culture. On a beaucoup parlé et souvent à juste titre des initiatives de Jack Lang dans ce ministère. C'est vrai qu'il y a mené une action inventive et dynamique, mais la vérité oblige à dire qu'il n'aurait pas pu le faire sans le soutien de François Mitterrand.

Certains de mes adversaires les plus enragés se sont donné beaucoup de mal pour me faire passer pour un homme « brutal et inculte ».

La réalité est comme à l'accoutumée bien différente. Je dois d'abord confesser deux erreurs, qui me sont entièrement imputables. La première, c'est que je n'ai pas mesuré le risque que je prenais en disant que je n'avais pas aimé *La Princesse de Clèves*. Tous ceux qui ne l'avaient pas lu, et ils sont nombreux, ont alors pris violemment la défense de Madame de La Fayette. La polémique est en fait née d'un malentendu. À l'origine, je m'étais étonné, c'était en 2006, que l'on puisse mettre au programme d'un concours administratif pour des fonctionnaires territoriaux un tel livre. Je ne voyais pas trop ce que la lecture de cette œuvre avait à voir avec les compétences attendues d'un fonctionnaire territorial. C'était sans doute maladroit de ma part, certains ont pu à bon droit y voir une provocation, même si, sur le fond, il était difficile de me donner tort. La controverse s'enflamma. Je devins, en tout cas aux yeux de la gauche « forcément cultivée », le symbole de l'« inculture. » Sans m'en rendre compte, j'avais commis un crime de lèse-majesté. À ce péché originel s'ajoutait pour l'aggraver une faute de goût. Car c'en est une que d'oser affirmer que l'on n'aime pas une œuvre reconnue par l'intelligentsia. En évoquant mon ennui à la lecture de *La Princesse de Clèves*, il ne fut pas retenu que je l'avais lu, mais que je m'étais ennuyé, voire que je n'avais pas tout compris... Nous sommes sans doute des milliers dans ce cas. Mais il aurait mieux valu pour moi cacher cet ennui que la prétention ne saurait voir.

Ma seconde erreur a sans doute été de ne jamais évoquer publiquement la véritable passion que j'éprouve depuis bien longtemps pour tout ce qui touche à l'art en général et au cinéma, à la littérature, à la peinture en particulier. C'est si important à mes yeux que j'ai longtemps considéré qu'en parler serait une forme d'impudeur. Pas une semaine ne passe sans qu'à la maison nous regardions un film, nous lisions un livre, nous nous rendions dans une exposition. Ceux qui me connaissent savent que je me jette littéralement sur tous les catalogues de vente ou d'exposition qui me tombent sous la main.

Je ne peux concevoir le bonheur de vivre sans discussions passionnées avec des cinéastes, des romanciers, des architectes... en un mot avec des créateurs et des artistes. J'aime leur monde, leur liberté, leur imagination. J'aurais tant voulu être des leurs. Indépendamment de mes goûts personnels, j'ai la conviction que la culture ne peut pas être la victime de la crise en termes d'arbitrage budgétaire, puisqu'elle est à mes yeux la meilleure réponse à la crise. C'est pourquoi je n'ai pas voulu, malgré l'ouragan économique mondial de 2008-2010, sacrifier les crédits du Beaubourg de Metz qui a reçu 800 000 visiteurs pour sa première année d'ouverture. Lorsque nous avons supprimé un tiers des emplois militaires de la Moselle, j'avais promis à la ville de Metz une activité économique de substitution. À l'époque, les manifestants avaient réclamé une administration délocalisée. Nous leur avons offert bien mieux avec ce magnifique musée qui générera beaucoup plus de richesses, de touristes et de bonheur. Mon engagement fut de mêmes natures, et pour les mêmes raisons, pour le musée du Louvre à Lens, pour le Mucem de Marseille ou même pour la Philharmonie à Paris, dont peu de gens voulaient, y compris mon Premier ministre. Jean Nouvel réalisa un ouvrage admirable donnant à Paris une salle de concert à son image et à sa dimension. Je me suis battu pour ce projet, je l'ai imposé, et lorsqu'il fut inauguré… je n'étais même pas sur la liste des invités. Chaque fois, c'est la même histoire, la polémique à l'origine, le consensus à l'arrivée.

Que serait la France sans son patrimoine culturel ? Un pays beaucoup plus petit où la qualité de vie ne serait plus la même, et où l'inspiration se serait tarie. Et que dire de l'absurde opposition entre spectacle vivant et patrimoine ? Le patrimoine est le spectacle vivant d'hier. Le spectacle vivant sera le patrimoine de demain. Continuer à investir massivement dans le patrimoine et la culture est aussi important pour l'avenir de la France que ce que nous faisons à juste titre avec l'aéronautique, le spatial, le nucléaire ou les nanotechnologies. Ce n'est ni dévaloriser ni désacraliser la culture que d'évoquer son poids économique. La culture est non seulement une partie de la réponse à la crise économique que nous connaissons, mais elle est également d'une importance vitale face à la redoutable crise identitaire qui ne cesse de s'aggraver. Pour comprendre qui nous sommes, nous devons savoir d'où nous venons. Ce qui nous a construits. « Les matériaux » qui ont façonné l'âme française. La manière dont se sont progressivement établies notre culture et nos habitudes de vie. Peut-on s'émerveiller devant les branches d'un chêne séculaire sans prendre soin de ses racines qui pour n'être pas apparentes n'en sont pas moins essentielles ?

De ce seul point de vue, je ne peux pas comprendre la polémique qui prospère chaque fois que j'évoque les « racines chrétiennes » de la France. Il ne s'agit en aucun cas d'une entorse à la laïcité. La France n'est pas que chrétienne, mais ses racines le sont. Il suffit pour s'en convaincre d'observer le long manteau de cathédrales et d'églises qui recouvre notre pays du nord au sud et d'est en ouest. La France s'est construite par l'alliance de l'Église et des Capétiens. Le dire ne constitue en rien un acte militant au service de quelque religion que ce soit. Il s'agit seulement de décrire une réalité qui s'étale sous nos yeux. En niant nos racines, en donnant le sentiment de s'en excuser ou, pire, d'en avoir honte, on a fait monter une radicalisation exaspérée dans le cœur du peuple français. Car alors nombreux sont ceux qui s'imaginent, et pas toujours à tort, qu'être prêt à renier ses racines, c'est se préparer à brader son mode de vie, à renoncer à sa langue, à passer par pertes et profits tout ce qui fait l'unicité de la France dans ce qu'elle a d'éternel. La proposition extravagante d'Eva Joly lors de la campagne de 2012 de remplacer la parade militaire du 14 Juillet par un rassemblement festif avec défilé des travailleurs sociaux en dit long sur la méconnaissance abyssale que cela traduisait de l'esprit français. Si celui-ci est volontiers frondeur, indiscipliné, individualiste, bagarreur, souvent d'humeur maussade, il sait toujours se rassembler dans une communion nationale autour de ses grands hommes, de ses grandes dates, et par-dessus tout de ses héros. En France, il existe une mémoire collective indéracinable. Pour les Français, le défilé militaire du 14 Juillet est sacré en ce qu'il célèbre l'unité de la nation autour de son armée.

Valoriser notre culture dans tous ses aspects et par toutes ses modalités, c'est apporter une réponse à la question angoissante de la pérennité de la France. Appuyée sur une telle histoire, dégageant une telle vitalité culturelle, la France ne peut pas disparaître, en tout cas en tant que nation chargée d'un message universel si singulier, pour peu que chaque génération porte à son tour un soin particulier à la culture dont elle a hérité. Cet héritage est un privilège qui nous oblige tous.

Le Grand Paris participait de cette même démarche. Il fallait donner à nos architectes, parmi les meilleurs du monde, l'opportunité d'un projet ambitieux à l'échelle du XXIᵉ siècle. J'ai proposé le Grand Paris : des projets, des gestes architecturaux, des infrastructures du siècle qui vient et non du siècle passé. La « *combinazione* socialiste » a transformé ce projet ambitieux en querelle absconse sur les modalités d'organisation des collectivités territoriales et sur le Meccano institutionnel du prétendu Grand Paris, qui n'est plus rien qu'un vague ersatz. Qui y comprend encore quelque chose ? Personne. Et surtout pas les auteurs. Il nous faudra reprendre le Grand Paris pour en faire le formidable instrument d'amélioration de la vie de 12 millions de Franciliens. En tout état de cause, je veux dire ma tristesse de voir l'architecture triompher partout dans le monde, de Londres à Doha, de New York à Abou Dhabi, de Hong Kong à Shanghai, et végéter à ce point en France. Quand on pense qu'il a fallu dix ans d'obstination à Bernard Arnault pour avoir la possibilité d'édifier le formidable immeuble de Frank Gehry au Jardin d'Acclimatation. C'est à en pleurer de rage ou de désespoir. Aujourd'hui, dans notre pays, les forces de l'immobilisme et de la réaction sont telles qu'il est mieux vu de ne rien tenter, de ne rien oser, de ne rien faire plutôt que d'essayer de prendre quelque initiative que ce soit. Aussi le projet LVMH de la Samaritaine va encore végéter quelques bonnes années, privant ainsi les Parisiens d'emplois et d'activités. Il est devenu urgent que notre droit administratif évolue. Chacun, c'est entendu, doit pouvoir défendre ses prérogatives et faire entendre sa voix, mais « la prime » ne peut continuer d'être donnée exclusivement à ceux qui sont contre tout. Des dommages et intérêts sévères doivent être prononcés à l'endroit de tous ceux qui abusent du droit d'ester en justice. C'est trop facile de tout bloquer, quand on ne risque rien. Il faut mettre un terme à cette impunité qui ne dit pas son nom. Il convient d'agir de même avec les délais de recours contre les permis de construire qui créent une grave insécurité juridique. Ceux-ci doivent être réduits et encadrés strictement. Je veux en terminer sur ce point en rappelant que ce n'est pas parce que « le beau » est subjectif qu'il n'existe pas. Arrêtons de tout paralyser, de tout empêcher, de tout fossiliser. À conditions équivalentes, qui aujourd'hui oserait prendre l'initiative de bâtir le château de Versailles, l'Arc de triomphe, la tour Eiffel, voire la pyramide de Pei ? J'imagine ce que diraient les écologistes et les associations de défense des quartiers concernés... Au fond, je crois que la France a besoin de retrouver l'amour de la prise de risque, l'envie de l'innovation, la curiosité de la novation. J'ai, en son temps, soutenu les initiatives architecturales de François Mitterrand. Elles étaient bienvenues, je ne le regrette pas. L'architecture porte le témoignage de la vitalité de son époque. La frilosité n'est jamais un bon signe.

L'organisation du ministère de la Culture devra, elle aussi, être revue de fond en comble. Elle ne tient pas compte de l'importance dans l'action culturelle des différentes collectivités territoriales. Le ministère est désorganisé et démotivé. Il exerce sa tutelle sans vision et voudrait gérer en lieu et place des responsables d'établissements publics ou des territoires. C'est l'exact inverse qu'il conviendra de faire en privilégiant la stratégie et la volonté d'animation, et non pas celle de la seule gestion. Dans le projet d'alternance, la politique culturelle doit être le cœur de notre ambition, et non se cantonner à quelques paragraphes alibis et bricolés à la fin d'un programme de gouvernement. L'entretien de notre patrimoine est un devoir. Le soutien au spectacle vivant une nécessité. Mais ce soutien devra évoluer car il est trop statique, beaucoup trop conservateur, et il ne tient pas assez compte des réussites et des échecs. Il est aussi trop fonction des coteries ou des amitiés particulières. Je garde en mémoire l'énergie qu'il m'a fallu pour obtenir que ce géant du théâtre européen qu'était Luc Bondy puisse obtenir la direction de l'Odéon. C'était un honneur pour la France, c'était une chance pour l'Odéon que d'être dirigé par ce génie. Son prédécesseur, Olivier Py, homme par ailleurs de qualité, avait beaucoup d'amis et un solide réseau. On était bien loin du seul intérêt de l'Odéon. Une grande actrice, qui avait signé la pétition de soutien à Py contre Luc Bondy, fut très heureuse – et ne souffrit apparemment d'aucun cas de conscience – de participer à la première mise en scène de Bondy. Comme quoi la « courtisanerie » ne se cantonne pas à la politique... Et que dire de la ministre de la Culture, Fleur Pellerin, qui a annoncé à Luc Bondy qu'il était « trop vieux » pour continuer à diriger l'Odéon ? C'était aussi stupide que de prétendre interdire à Pierre Soulages de peindre du fait de ses quatre-vingt-seize années, ou à Roman Polanski, jeune octogénaire, de tourner. Le talent n'est pas indexé sur l'âge. L'art est universel et intemporel. C'est justement pour cela qu'il est si important.

Un jour que je tentais de convaincre l'ancien président de la Commission européenne, Manuel Barroso, d'autoriser la TVA à taux réduits pour les livres, les DVD et les CD, il me répondit : « Tu n'y penses pas, la TVA à taux réduit, c'est seulement pour les produits de première nécessité. » L'homme est intelligent et sympathique, mais bien qu'il vînt de la patrie du grand poète portugais Pessoa, il ne comprenait pas la quintessence de cette problématique, car au même titre que l'eau et la nourriture, la culture est bien une « première nécessité ». C'est le message qu'il nous faut défendre, nous les Français d'abord et les Européens à notre suite. La spécificité de l'homme par rapport au monde du vivant, c'est son rapport à l'art. Pour vivre, un être humain a besoin de boire, de manger et de se cultiver. C'est l'art, c'est la culture qui constituent la civilisation, et c'est cette dernière qui peut maîtriser (provisoirement) la violence et la cruauté des êtres humains. La TVA à taux réduits sur les produits culturels est à mes yeux un des éléments de la réponse à notre crise identitaire.

Je voudrais terminer sur ce sujet en évoquant deux questions sensibles. La première concerne le statut des intermittents. J'y ai beaucoup réfléchi et j'ai souvent hésité sur le sujet. Président, j'ai conservé ce système. Je crois l'avoir fait pour une mauvaise raison, celle qui consistait en fait à éviter les polémiques durant la saison des festivals. Or le système actuel n'est pas juste. D'abord parce que son coût est exorbitant : 1 milliard d'euros. En cette période de grande disette budgétaire, il y a mieux à faire de cette somme colossale. La stabilité de l'emploi est à l'opposé de la vie d'artiste qui dépend de l'inspiration, du talent, de la chance et... des désirs par nature fluctuants du public. Nous ne pourrons donc pas garder, en l'état, ce statut si dérogatoire au droit existant pour les autres catégories de Français. Cela ne veut pas dire qu'il faudra revenir au strict droit commun pour les entreprises de spectacle à l'équilibre économique si instable, mais que pour le moins il conviendra de revenir sur les avantages les plus indus. Je sais que je vais faire grincer des dents avec cette proposition, mais le devoir de vérité ne peut pas être à géométrie variable.

La seconde question me tient encore davantage à cœur. Je veux parler des droits d'auteur, c'est-à-dire du droit des auteurs quels qu'ils soient à faire respecter la propriété de leurs œuvres. C'est une question centrale puisqu'il s'agit ni plus ni moins de garantir leur liberté de création. Je n'emploie pas de grands mots. Je dis ce qui est, ou plutôt ce qui sera si les choses continuent au rythme actuel. Je ne comprends ni n'accepte l'insoutenable légèreté avec laquelle le gouvernement actuel traite de cette question. Il faut comprendre qu'avant que Beaumarchais « invente » les droits d'auteur, les artistes n'avaient d'autre choix que de vivre dans la pauvreté la plus extrême ou d'être des jouets au service des puissants qui les protégeaient un temps avant de les rejeter. Même Mozart fut soumis à ce destin cruel. Je veux donc dénoncer cette culture du « gratuit » qui refuse de donner de la valeur à une œuvre musicale, à un film, à un livre. Je veux critiquer ce « jeunisme » qui voudrait faire croire que les jeunes ne sont pas capables de saisir des enjeux aussi essentiels. La propriété et son respect sont la condition de notre liberté. On ne dit pas aux jeunes qu'ils ont le droit de se servir au supermarché et de partir sans payer. Eh bien, il en va de même pour la création. Ne pas payer le film que l'on regarde ; ne pas acheter la musique que l'on écoute ; ne pas régler le livre que l'on lit : c'est ni plus ni moins du vol ! C'est pour cela que j'ai voulu Hadopi : pour défendre les artistes et faire comprendre que les enjeux en cause n'étaient pas seulement économiques, qu'il y avait d'abord une question de principe. Le progrès incontestable que représentent Internet, la bibliothèque et la connaissance universelle à la disposition de chacun, les réseaux et ce fantastique et continu mouvement d'intercommunication planétaire ne peut se payer du renoncement à nos principes fondamentaux. Il faudra reprendre Hadopi, en modifier les modalités et le fonctionnement, et surtout en adapter le nécessaire système de sanction, mais l'inspiration initiale était la bonne et devra donc être poursuivie. Il ne s'agit pas d'opposer les artistes aux jeunes, mais de faire comprendre à ces derniers que sans droits d'auteur respectés il n'y aura plus à l'avenir de jeunes créateurs qui pourront vivre de leurs œuvres. Ce que l'on aime a toujours un prix. Respecter ce à quoi l'on est attaché, c'est être prêt à lui donner une valeur. Jamais la facilité de la gratuité démagogique ne procurera le même bonheur que celui qui se trouve au bout de l'effort, représenté par le prix que l'on est prêt à régler. La gratuité systématique, c'est la culture du refus de l'effort. Cela ne sera jamais la nôtre.

Évoquer la politique culturelle sans revenir sur la question de France Télévisions et du rôle du service public n'aurait pas de sens. J'avais voulu innover par deux initiatives. La première consistait en la suppression de la publicité à partir de 20 h 30 sur les chaînes du service public. J'y voyais au moins deux avantages. Le premier, c'est le respect dû aux téléspectateurs contribuables qui, payant la redevance, n'ont pas à « subir » la publicité – ou alors il faudra m'expliquer à quoi sert la redevance. Le second, c'est qu'il s'agit en fait du seul moyen qui permette de desserrer l'étreinte sur les dirigeants de France Télévisions de la tyrannie de l'audience. Or c'est cette dernière qui explique ou justifie l'étrange similitude des programmes du privé et du public. C'est toujours la même problématique, car sans audience suffisante il n'y a pas de rentrées publicitaires en ligne avec les besoins budgétaires. En supprimant cette contrainte et en compensant à l'euro près les recettes publicitaires désormais interdites, je pensais avoir donné la possibilité d'une programmation publique ambitieuse et surtout différente des autres chaînes. Il est juste de dire que je fus déçu du résultat, malgré quelques efforts louables engagés par la nouvelle équipe. Car ce n'est pas le moindre des paradoxes : plus la concurrence fait rage entre les chaînes, plus les programmes se ressemblent, se copient, s'imitent. Jamais l'abondance des chaînes n'a été si grande, jamais sans doute il n'a été aussi difficile de trouver sur les grandes chaînes généralistes du théâtre, de la musique, de la danse, de véritables émissions culturelles. La vérité, c'est qu'à l'inverse du discours communément répandu, l'extrême concurrence dans la télévision tire tout le monde vers le bas. C'est un peu comme si l'existence de chaînes spécialisées à l'audience presque confidentielle servait de prétexte aux grandes généralistes pour s'exonérer, en tout cas aux heures de grande écoute, de toute obligation culturelle.

Cette situation ne peut pas durer, car la similitude des programmes entre les chaînes commerciales et le service public fait, à juste titre, douter les téléspectateurs de l'utilité de ce dernier. Je veux souligner l'exception que représente le travail remarquable réalisé par Véronique Cayla sur Arte. Au minimum, on peut considérer qu'il y a une chaîne de trop dans le groupe France Télévisions. J'ai conscience qu'il s'agira d'un délicat chantier de l'alternance tant les corporatismes sont prégnants dans ce service public. Je pourrais en dire presque autant de Radio France dont une partie des personnels ne mesure pas la chance pour cette radio de ne pas avoir de publicité. Au-delà de la qualité des programmes souvent incontestable, ne pas devoir subir la publicité radiophonique est pour nombre d'auditeurs (dont je suis) un véritable soulagement.

Ma seconde initiative dans le domaine de l'audiovisuel fut particulièrement attaquée ou à tout le moins incomprise. Il s'agissait de la nomination par le président de la République du président de France Télévisions. Je dois bien reconnaître qu'une fois encore j'ai pris un risque qui sans doute n'était pas nécessaire. Je ne crois pas que je referais ce qui est apparu sans doute à juste titre comme une erreur. Et pourtant là encore mes intentions étaient limpides, du moins le pensais-je, car j'avais pris la précaution d'encadrer la décision du président de la République par le vote à la majorité des commissions culturelles de l'Assemblée et du Sénat. C'est-à-dire que le choix que faisait le Président pouvait être bloqué par le Parlement. Comme j'aurais dû le prévoir, ces précautions furent balayées par la polémique. Le Président qui choisit lui-même le patron de France Télévisions est rapidement devenu « le fait du Prince », en quelque sorte un dévoiement de la démocratie. Sur la forme, j'ai eu incontestablement tort. Mais sur le fond, c'est peut-être une autre histoire... En effet, je voulais tourner le dos aux faux-semblants et à l'hypocrisie que masquent si souvent les prétendues « autorités indépendantes ». Dans mon esprit, les choses étaient claires. Les Français nous avaient accordé la majorité dans les urnes. Nous avions la responsabilité de la conduite des affaires de l'État. Or celui-ci est propriétaire à 100 % du service public, c'était donc à l'actionnaire de choisir en toute transparence celui qui allait conduire France Télévisions. Le raisonnement était sans doute cohérent. La réalisation s'est révélée fausse. En agissant ainsi, j'ai inutilement donné du grain à moudre à nos adversaires. Ce fut une perte de temps, doublée d'une erreur tactique. J'ai juste été quelque peu « consolé » par l'incroyable opacité dans laquelle s'est déroulée la nomination de la dernière présidente, Mme Ernotte. Le CSA n'en est pas sorti grandi, c'est le moins que l'on puisse dire. Le pouvoir s'est investi dans cette nomination jusque dans les moindres détails.

Tout naturellement cela m'amène à évoquer la question de la prolifération des « autorités indépendantes ». Indépendantes de qui et de quoi ? Cela, personne ne le sait. Ces autorités illustrent parfaitement la démission croissante des responsables politiques face à l'exercice de leurs responsabilités. La politique consiste à assumer ses choix, et non à se défausser sur les autres. Depuis une bonne trentaine d'années, l'habitude a ainsi été prise de multiplier ces institutions réputées indépendantes parce qu'elles sont en général composées de hauts fonctionnaires. Leur nombre a augmenté jusqu'à proliférer dans des proportions absolument déraisonnables. On en compte des dizaines. Avec elles, le pouvoir exécutif se donne bonne conscience à peu de frais. Elles participent de plus de la dépossession du pouvoir législatif. Dans ces conditions, à quoi servent donc les différentes commissions du Parlement ? Sur quelle légitimité démocratique ces institutions indépendantes appuient-elles leurs décisions ? Nul ne le sait. La vérité, c'est la dilution des responsabilités et l'opacité des choix. Finalement, qui est responsable ? Là encore, tous l'ignorent. Je souhaite que soit désormais limité au maximum ce type d'institutions. Chaque fois que cela sera possible, il faudra laisser toute sa place et tout son rôle au Parlement, quitte à prévoir un système de vote à la majorité qualifiée qui garantira que majorité et opposition seront contraintes de se livrer à des compromis réciproques et salutaires.

6

Le temps garde la mémoire de l'action

J e me rends compte que, pour de bonnes ou de mauvaises raisons je n'ai pas toujours pu ou su aller au bout de mon action, en tout cas pas autant que je l'aurais souhaité ou que je l'avais imaginé. L'aveu en fera sourire certains, pourtant s'ils savaient combien je suis sincère en disant que je regrette de m'être parfois laissé impressionner par tous ceux qui me reprochaient sans cesse d'être un Président « interventionniste », parfois même autoritaire, voire brutal. Brutal, je ne l'ai jamais été. Autoritaire, oui, certainement, mais dans un pays qui connaît un tel déficit d'autorité, si en plus le Président vient à en manquer, où va-t-on ? Interventionniste ? La vérité, c'est que je ne l'ai, en fait, pas été assez ! Je me reproche aujourd'hui de ne pas m'être suffisamment impliqué afin de voir si les choses étaient mises en œuvre jusqu'au bout, si on agissait bien en profondeur, si l'Administration avait obéi, si la réforme était engagée avec la rigueur nécessaire, si les ministres ne biaisaient pas avec les écueils rencontrés sur leur route. Sans doute les innombrables pamphlets qui stigmatisaient ma violence et mon agressivité ont-ils fini par m'inhiber.

Le moment sans doute le plus caricatural de cet état d'esprit « inapproprié » se produisit au moment du désormais célèbre discours de Grenoble. Nous étions alors au printemps 2010. Des affrontements très violents eurent lieu dans la banlieue de la capitale de l'Isère. Je m'y rendis pour y prononcer un discours sur la sécurité. Je n'ai gardé le souvenir d'aucun propos outrancier. Simplement j'avertissais que, désormais, nous n'accepterions plus les campements illégaux. Je m'interrogeai en outre publiquement sur la possibilité de retirer la nationalité française aux doubles nationaux coupables de crimes ou d'actes terroristes. J'annonçais avoir donné des consignes strictes d'exécution des mesures de reconduction des étrangers en situation irrégulière. Je n'avais vraiment pas conscience de lire un brûlot. C'est peu dire que le réveil fut brutal. Le journal *Marianne*, qui aimait tant gagner de l'argent en multipliant les unes… à mon honneur, se surpassa en titrant sur ma photo de l'époque « Le voyou de la République ». Rien que ça… Un homme aussi sympathique et intelligent que Michel Rocard déclara : « Depuis les nazis, on n'avait pas vu cela » (sous-entendu le discours de Grenoble). Quelque temps plus tard, alors que je lui demandais si ce jour-là il était dans son état normal, il me répondit, avec l'honnêteté intellectuelle qui le caractérise, qu'il avait sans doute « un peu exagéré ». Un peu… en effet. Quant à mon amie Simone Veil, elle déclara qu'elle ne pouvait accepter la moindre forme de discrimination s'agissant des Roms, puisqu'ils avaient été déportés durant la Seconde Guerre mondiale avec les Juifs. Jusqu'à Alain Juppé qui me rappela à l'ordre en disant toute son

opposition au principe même du retrait de la nationalité quelle qu'en fût la cause. Une fois encore, je
fus littéralement sidéré par le décalage de certains de
ces propos avec ce que j'avais dit. Je me souviens
d'avoir plusieurs fois relu ce discours de Grenoble,
pour être certain que je n'avais pas laissé échapper
une phrase ou une expression qui aurait pu prêter à
confusion. Rien, absolument rien n'était susceptible de
choquer les « consciences », même si le fil conducteur
de mon propos était la nécessité d'une politique ferme
en termes de sécurité et de lutte contre l'immigration
illégale. On pouvait parfaitement être en désaccord
avec moi, mais pas de façon si outrancière. Là s'est
nouée mon erreur. Mon intuition était la bonne. La
situation devenait si grave qu'il fallait donner un coup
d'arrêt dénué de la moindre ambiguïté. Le peuple français l'attendait. Je le sentais et même l'avais anticipé,
mais, je dois le reconnaître, ce tir d'artillerie intense me
coupa les ailes, et au lieu d'accélérer la mise en œuvre
des justes mesures du discours de Grenoble, j'ai sans
doute commencé à biaiser, à trouver des compromis,
d'une certaine façon à reculer. Alors qu'il aurait fallu
que j'aille plus loin. J'ai commis l'erreur de ralentir. Le
monde politico-médiatique s'étouffait de me voir agir
trop vite et trop fort. Mon Premier ministre, nombre de
ministres et d'amis sincères m'expliquaient chaque jour
que les Français, en ces temps de crise, avaient besoin
d'un Président apaisant et rassurant, bref, que j'étais
trop combatif, qu'on n'arrivait plus à me suivre...

Le peuple français, à l'inverse, attendait que sur ces
questions essentielles je passe des paroles qu'ils approu-
vaient aux actes qu'ils espéraient.

J'ai beaucoup réfléchi sur cette période et j'ai surtout retenu une leçon qui me servira pour l'avenir. Le temps où l'on exerce les responsabilités du pouvoir passe si vite qu'on regrette rarement ce que l'on y a fait, et qu'en revanche on éprouve de nombreux remords à propos de ce que l'on n'a pas réalisé. Le dicton populaire est juste : « Ce qui est fait n'est plus à faire. » Au pouvoir, c'est la même chose, il faut faire ce que l'on croit juste sans se préoccuper du clapotis quotidien. Le temps garde la mémoire de l'action et fait disparaître commentaires et critiques. On ne me reprendra pas à faire des compromis de circonstance avec mes convictions. Beaucoup pensent que j'ai perdu en 2012 parce que « j'en avais trop fait » ; moi, je pense à l'inverse que j'aurais dû faire davantage.

* * *

Il faudra reprendre de fond en comble la question de l'immigration, qui constituera sans doute le plus grand défi de ce début de XXIe siècle. Depuis l'origine, l'homme a inscrit au fond de lui le désir de bouger, d'explorer, de migrer. Rien ni personne n'arrêtera ce mouvement naturel qui a permis le métissage, qui est la meilleure réponse aux risques que fait courir la consanguinité. Les empires et les civilisations meurent de ce dernier, pas du mélange des origines qui leur donne une nouvelle vigueur au sens propre comme au figuré. Mais c'est justement parce que la pulsion migratoire est dans nos gènes que nous n'avons pas d'autre choix que de la maîtriser pour ne pas être submergés.

Comme souvent dans notre histoire, beaucoup va se jouer autour de la Méditerranée. L'enjeu est central si l'on veut bien comprendre que l'Afrique est à quatorze kilomètres de l'Europe par le détroit de Gibraltar, et qu'elle va passer dans les trente années qui viennent de 1 milliard d'habitants à 2,4 milliards. En 2050, le Nigeria à lui seul comptera plus d'habitants que les États-Unis d'Amérique. Dans ces conditions, maîtriser les flux migratoires ne relève pas du choix mais de la nécessité qu'il n'est pas exagéré de qualifier de vitale. Face à ce choc d'une force inouïe, il y aura trois familles de mesures qu'il va nous falloir mener de concert et dans le même sens. Les premières nous appartiennent en propre, les deuxièmes concernent l'Europe, les dernières l'Afrique.

S'agissant de nous, il nous faudra tout à la fois de la lucidité et de l'humanité. C'est-à-dire le courage d'affronter la pensée unique sans pour autant nous caricaturer. Ainsi on ne pourra plus imaginer distribuer la moindre allocation sociale à une personne en situation irrégulière et il faudra introduire une durée minimale de résidence pour qu'un étranger en situation régulière bénéficie d'aides sociales. Nous n'avons plus les moyens de ce laxisme qui, en outre, entraîne un formidable appel d'air compte tenu du montant de nos prestations sociales. L'aide médicale d'urgence qui nous coûte près de 1 milliard d'euros par an devra être supprimée en tant que système, et remplacée par l'obligation bien naturelle de soigner toute personne en situation de danger médical immédiat. Les modalités de l'entrée sur notre territoire devront être revues dans un sens beaucoup plus restrictif. Ainsi il y a trop de chômage en France pour pouvoir y venir sans avoir l'assurance d'un emploi. La nouvelle règle devra être formulée simplement : pas de contrat de travail, pas d'entrée sur le territoire national. Les modalités du regroupement familial ne peuvent demeurer en l'état. Les obligations pour avoir le droit de faire venir sa famille en termes de revenus, de superficie du logement, de preuves de la réalité familiale et de connaissance préalable de la langue française devront structurellement être renforcées. Autrement dit, le regroupement familial doit passer d'un droit aujourd'hui quasi sans conditions à un droit sous conditions très précises : si les revenus sont insuffisants et l'appartement trop petit pour accueillir la famille, il n'y aura plus de regroupement familial. Les mariages entre un Français et un étranger devront être contrôlés plus strictement afin de mettre un terme à l'inflation des mariages blancs qui sont devenus l'une des premières filières d'acquisition de la nationalité française. Les fraudes à l'asile politique devront être strictement combattues par l'instauration de centres de rétention administratifs, dans les pays d'Afrique du Nord notamment, où les demandeurs d'asile devront résider jusqu'à la fin de l'examen de leurs dossiers. En effet, une fois la Méditerranée traversée, la reconduite est illusoire, c'est donc avant la traversée qu'il convient d'instruire les dossiers. Ces mesures sont sévères, certes, mais plus humaines que celles qui consistent par une fausse générosité à voir chaque année des milliers de malheureux se noyer dans la Méditerranée ou essayer de survivre dans des ghettos aux portes de nos villes où grandissent le communautarisme, le désespoir et l'amertume.

La deuxième catégorie de mesures devra être prise par l'Europe. Malheureusement, l'Europe apparaît aujourd'hui désarmée, faible, sans convictions, et surtout sans leadership. Il nous faudra incarner et impulser une nouvelle volonté européenne. L'immigration est un sujet dont l'Europe doit se saisir urgemment avec volontarisme et sans peur. L'Europe doit se réveiller enfin de sa trop longue léthargie. Il n'est que temps, alors que le monde entier la voit s'écrouler littéralement. Il nous faudra d'abord acter de la mort du système Schengen. Je ne crois pas, ou plutôt je ne crois plus en la possibilité de changer les règles européennes à la marge. L'Administration européenne, qui n'a rien à envier à ses collègues nationales en termes d'autonomie et de pesanteur, aura vite fait de digérer les changements timidement demandés. J'ajoute que le « rafistolage » n'est pas à la hauteur de la gravité de la situation. Il faut déclarer la fin de Schengen I et créer immédiatement un Schengen II dont la condition préalable à l'adhésion sera l'élaboration d'abord, l'application ensuite, d'une politique européenne d'asile et d'immigration commune digne de ce nom. C'est quand même le moins que l'on puisse exiger que, avant d'abaisser nos frontières, nous nous assurions que seront appliqués des critères identiques d'admission des étrangers non communautaires avec nos voisins européens. Sinon, et c'est exactement ce qui se passe aujourd'hui, on ouvre les conditions d'un véritable « dumping » migratoire. Bien naturellement, une fois dans l'espace Schengen, le nouvel arrivant va choisir l'endroit où les prestations sociales seront les plus généreuses. Dire cela n'est en rien concéder quoi que ce soit au Front national, c'est juste décrire une réalité devenue insupportable pour nos compatriotes. L'idée des quotas d'immigrants à se répartir entre pays européens n'était rien de moins qu'une folie. Le problème n'est pas en effet de se partager entre Européens un débit grossissant jour après jour, mais de trouver les moyens de réduire cet afflux. Ne pas le comprendre est au mieux préoccupant, au pire irresponsable quand on mesure la gravité des enjeux. Dans cette politique européenne de l'immigration devront être fixés un montant moyen d'allocation sociale pour ne pas provoquer de déséquilibres entre les pays membres de Schengen II, la définition d'une même liste de pays dits « sûrs », c'est-à-dire que les demandes d'asile politique qui en émaneront seront rejetées car infondées, et, enfin les mêmes conditions en termes de durée de rétention administrative pour les étrangers en situation illégale. Une fois Schengen refondé, l'agence européenne Frontex devra se voir donner les moyens, y compris militaires, de faire respecter et de défendre les frontières de l'Europe. J'approuve la décision récente d'autoriser nos militaires à détruire les bateaux des passeurs et des trafiquants. La première singularité d'une frontière, c'est qu'elle doit être respectée et défendue.

Restera la question de l'Afrique. Il faut aider l'Afrique, parce que son échec sera notre drame, parce que nos destins sont liés, parce que les Africains qui ont montré tant de résiliences à la maladie, aux guerres, à la famine le méritent. Mais l'Afrique devra aussi s'aider elle-même. Or rien ne sera possible si le nombre moyen d'enfants par famille y demeure comme aujourd'hui de cinq, sept ou plus dans certains pays. Aucune société ne peut y résister. La question démographique en Afrique comme en Asie sera parmi les grandes problématiques du XXIᵉ siècle. Le continent africain ne pourra faire l'économie d'une politique de maîtrise de la natalité, certes à l'opposé de la tradition africaine, mais pourtant indispensable pour assurer un développement économique équilibré et une croissance minimum.

Quand on voit par ailleurs les milliards qu'il nous a fallu investir en Grèce, nous serions bien avisés de considérer la mise en place d'un immense plan Marshall destiné à financer les grands équipements d'infrastructure qui seuls permettront de conforter la croissance économique du continent africain, donc de donner du travail à ses jeunes, et de surcroît de remplir les carnets de commandes des entreprises européennes qui en ont bien besoin. En tout état de cause, nous ne pouvons plus continuer à nous désintéresser de l'Afrique. Pour des raisons économiques, politiques, morales, géostratégiques, ce sont ni plus ni moins l'avenir et la stabilité de l'Europe qui se jouent dans la réussite d'un partenariat majeur entre notre continent et ce géant voisin. Je ne suis pas loin de penser qu'il n'y aura pas de priorité plus stratégique pour la future politique étrangère de la France que celle que représentent l'Afrique, son développement, sa stabilité, son avenir.

La maîtrise, dans un premier temps du moins, drastique de l'immigration nous permettra de faire repartir le processus d'assimilation des étrangers déjà sur notre sol. Il nous faut avoir la lucidité de le reconnaître. Le système français d'intégration est aujourd'hui complètement bloqué. Il ne fonctionne plus. On peut même dire qu'il marche de moins en moins. Le nombre des nouveaux venus est tel qu'à peine une première vague est arrivée, une autre se présente. Or nous n'avons ni emplois, ni logements, ni financements en quantité suffisante pour y faire face. Il faut clairement marquer que nous allons désormais donner la priorité à l'assimilation, terme beaucoup plus exigeant que celui de la seule intégration. Il s'agit de décider que nous voulons clairement privilégier l'assimilation sur la nouvelle immigration. Or la preuve est désormais apportée que l'on ne peut mener les deux de front.

Chaque année, un débat parlementaire pourrait utilement faire le point. Combien d'étrangers ont été accueillis durant les douze derniers mois ? Combien le seront l'année prochaine ? Tout devra être dit et fait en totale transparence. Les Français doivent connaître les chiffres année après année.

Ainsi seraient posées les bases d'une véritable politique républicaine de l'immigration. Je suis plus réservé sur l'opportunité de la remise en cause généralisée et complète du « droit du sol ». Un enfant né en France est français. C'est notre histoire. C'est notre tradition. Je crois que, en la remettant en cause, nous créerions les conditions d'un débat malsain, biaisé, politicien qui se retournera contre nous, en nous empêchant, finalement, d'agir. Or, en la matière, la France a bien davantage besoin de faits que d'idéologie. À l'expérience, je redoute ces débats où chacun se drape dans une posture étudiée qui débouche sur un immobilisme général. Ce principe réaffirmé n'est pas contradictoire dans mon esprit avec les aménagements nécessaires de notre droit du sol, comme celui indispensable s'agissant de Mayotte. Il y a là-bas un détournement généralisé de procédure. La fin de cette exception mahoraise serait la bienvenue et est, à mes yeux, incontournable. Enfin, je crois également souhaitable de faire évoluer le droit du sol vers une présomption de nationalité française. Ainsi un enfant né en France de parents étrangers serait, à sa majorité, « présumé français ». S'il n'est à ce moment pas convaincu d'activités terroristes ou de faits graves et réitérés de délinquance, ou encore si ses parents étaient en situation irrégulière à sa naissance, il deviendra français ; dans le cas contraire la « présomption » tomberait. J'ai conscience qu'il s'agit d'une évolution notable, mais elle me paraît nécessaire ne serait-ce que pour conserver le principe même du droit du sol.

Il faut mentionner la spécificité, en matière migratoire, de la situation avec l'Algérie. L'indépendance de l'Algérie en 1962 a conduit nos deux pays à régler les questions de circulation et de séjour des personnes par une convention internationale spécifique en 1968, dérogatoire au droit commun des étrangers. En clair, le code de l'entrée et du séjour des étrangers, le droit commun de la politique d'immigration en France, ne s'applique pas aux ressortissants algériens. Nous continuons donc de gérer ces questions sur la base d'un accord conclu à une époque où les priorités gouvernementales étaient tout autres.

À titre d'exemple, l'accès au séjour des ressortissants algériens est facilité et la carte de résident (dix ans) peut être attribuée après trois années de séjour, contre cinq années dans le droit commun. L'accord franco-algérien prévoit par ailleurs des motifs de régularisation. Après dix ans de présence en France – dès lors qu'il peut le prouver –, un ressortissant algérien en situation irrégulière a, par exemple, accès de plein droit à un titre de séjour. C'est le résultat d'un amendement à l'accord négocié en 2001 par le gouvernement de Lionel Jospin. Nous étions d'ailleurs parvenus à revoir l'accord entre la France et la Tunisie en 2008 sur ce point en particulier, pour mettre fin à ce système de régularisation automatique.

C'est la raison pour laquelle j'avais engagé des discussions avec les autorités algériennes, en 2011, pour renégocier cet accord. Il est indispensable de reprendre ces discussions pour le mettre davantage en conformité avec les objectifs de la politique d'immigration que la France souhaite conduire.

* * *

Restera la question centrale : le ferez-vous ? Je suis bien conscient que l'interrogation existe. Et comment ne pas le comprendre. Souvent, trop souvent, la droite républicaine a déçu ses électeurs par sa pusillanimité, sa difficulté à s'extraire de la pensée unique, sa volonté de plaire à ceux à qui elle ne plaira jamais. Je n'ai moi-même pas toujours échappé à cette critique justifiée. Pour garantir que nous le « ferons », il faut d'abord que nous ayons conscience que le problème est réel, le regarder en face, en être pénétré. Ensuite que la crise de confiance entre les électeurs et toutes les formes de pouvoir est d'une telle profondeur qu'il ne faudra pas hésiter à innover fortement. Si le débat parlementaire devait s'enliser, si les blocages politico-médiatiques se révélaient trop puissants, si une partie de la nouvelle majorité s'abandonnait aux frilosités du passé, alors se poserait la question du référendum. Qui pourra trouver à redire à la consultation directe du peuple français sur un sujet aussi important qu'une nouvelle politique d'immigration ? Ainsi nos électeurs seraient-ils rassurés sur la fermeté de nos intentions, puisque eux-mêmes imposeraient la décision. Je sais que je serai accusé de « populisme ». Pourtant, c'est bien l'inverse dont il s'agit. Quand on sollicite le peuple, il est toujours plus responsable qu'on ne le croit. Les « excès » sont souvent la conséquence du refus de lui donner la parole. Or je ne vois pas les Français comme frileux, repliés sur eux-mêmes, manquant de générosité. On confond toujours leur exaspération qui est réelle, mais de surface, et la réalité de leurs sentiments sur le fond. Quand on refuse de débattre en toute transparence de la question de l'immigration, c'est alors que l'on ouvre un boulevard aux extrêmes, aux démagogues, aux irresponsables. Quand on permet à chacun d'exprimer calmement sa vérité, on renforce alors la démocratie, on apaise les tensions et en définitive on tire tout le monde vers le haut. C'est sans doute ce qui a le plus manqué à la démocratie française ces dernières années.

7

La voie étroite de l'équilibre

J'ai si longtemps été l'un des plus jeunes. Un jeune maire. Un jeune ministre. L'un des plus jeunes élus à la présidence de la République. Et puis, tout d'un coup, je ne l'ai plus du tout été. Je suis passé dans la catégorie des sexagénaires. Cela a été si brutal, si rapide. Je ne me suis rendu compte de rien... Encore aujourd'hui, il faut que je me répète mon âge pour en être convaincu. J'imagine que chacun d'entre nous, à sa façon, ressent ce décalage entre ce qu'il croit sincèrement être et ce qu'il est. De toute façon, comme on n'y peut rien, mieux vaut accepter la situation et tenter d'en valoriser les avantages. J'ai eu des responsabilités jeune, très jeune même, grâce notamment à la confiance et à l'amitié d'Édouard Balladur. Je ne lui serai jamais assez reconnaissant pour les deux années que j'ai vécues à ses côtés au gouvernement. C'est lui qui m'a appris à aller au plus profond des dossiers, à m'investir dans les débats de fond, à considérer une problématique dans son ensemble. Je n'avais pas quarante ans et je ne mesurais pas alors que la distance entre la réussite et l'échec est infime. Il me semblait que nos vies étaient des trajectoires linéaires, des figures géométriques simples et rectilignes. J'étais trop cartésien, trop anguleux, peut-être même trop souvent simpliste. J'avais besoin d'être confronté aux difficultés de la vie pour comprendre et pour apprendre. Avec le recul, je perçois maintenant ce que j'ai pu avoir d'exaspérant pour les autres.

C'est bien pourquoi, en souvenir de ces années, je ne juge pas aussi sévèrement que beaucoup d'autres les jeunes talents de ma famille politique. Souvent, on me dit, en parlant de tel ou tel : « Avec ce qu'il te doit... Tu l'as nommé ministre, tu ne devrais pas être si gentil [comprenez : si faible]. » Je n'éprouve pas ce genre de réaction parce que je n'ai pas oublié que j'ai sans doute été bien plus terrible à mon époque qu'ils ne le sont aujourd'hui. Je vois dans leurs attitudes, au fond, la naïveté que donne l'inexpérience. Je sais que la vie ne manquera pas d'enseigner à chacun ce qu'il doit retenir. Mais surtout j'ai toujours voulu découvrir de nouveaux talents, promouvoir des plus jeunes, m'entourer d'une nouvelle génération. De ce point de vue, je ne suis vraiment pas ce qu'il convient d'appeler un « tueur ».

J'ajoute que j'ai toujours essayé d'avoir avec mes proches, dans le travail, des rapports sereins. Je n'aimais pas que l'on mélange avec moi la politique et les rapports « prétendument filiaux ». Je me méfie de ces grands serments d'amitié si vite démentis. Je préfère de beaucoup une solide alliance raisonnable aux déclarations enflammées, en général sans lendemain. Je ne suis donc nullement choqué et encore moins gêné par l'ambition de Bruno Le Maire, Valérie Pécresse, Xavier Bertrand, Laurent Wauquiez, Nathalie Kosciusko-Morizet... et des prometteurs Gérald Darmanin, Éric

Ciotti ou Guillaume Larrivé, et tant d'autres qui me semblent être des talents bien utiles à notre famille. Si j'ai un jugement à formuler sur eux, il sera davantage fonction du professionnalisme et de la vitalité dont ils feront preuve plutôt que de l'attitude qu'ils professeront à mon endroit. J'ai, par exemple, une grande confiance en François Baroin dont j'apprécie l'originalité du parcours et la personnalité, et en Laurent Wauquiez dont le talent d'orateur me rappelle des souvenirs de jeunesse...

Le temps qui passe, l'âge qui vient m'apportent ce qui m'a si longtemps manqué et qui m'est précieux aujourd'hui, la sérénité. Dieu sait que j'ai eu du mal avec elle. Sans doute avais-je tant de doutes en moi et sur moi, avais-je tellement d'inquiétudes qu'il me fallait évacuer par un trop-plein d'actions. Aujourd'hui, je peux dire que je l'ai acquise. C'est la vie qui me l'a donnée. Cette vie cabossée comme un chemin de montagne avec ses montées où j'ai été si souvent à la peine et ses descentes qui ont été comme autant de moments d'ivresse. Je peux maintenant m'autoriser une certaine lucidité sur les autres ou sur moi que j'aurais été incapable de formuler il y a encore seulement quelques années.

Ainsi, je crois que je ne ferai plus une erreur qui me fut, hélas, coutumière. J'ai toujours sous-estimé le poids du racisme, de l'homophobie, du sexisme, de la différence. Non pas, bien sûr, que j'en banalisais la gravité, mais j'ignore totalement le sentiment qui pourrait amener à reprocher à quelqu'un sa différence, alors que je me sens moi-même souvent si différent des autres. Ces idées d'exclusion me sont parfaitement étrangères. Si bien que parfois, en m'exprimant, je n'ai pas toujours pris les précautions nécessaires. Cela ne me venait pas à l'idée de ménager quelqu'un au prétexte qu'il était homosexuel, ou de dire à une femme que ses propos étaient pertinents alors que je les trouvais faux. J'ai longtemps très peu tenu compte de ce qu'étaient mes interlocuteurs pour privilégier exclusivement ce qu'ils me disaient. Or cela se révèle une erreur, parce qu'on ne peut pas faire abstraction du contexte historique, social, culturel. On n'est pas que de sa famille de sang, on est aussi de son sexe, de son terroir, de son pays, de son continent. Faire abstraction de cela, c'est se couper d'une partie de la réalité.

Ce fut particulièrement dommageable s'agissant de la si complexe et si sensible question du mariage homosexuel. J'ai beaucoup hésité et réfléchi avant d'évoquer ces questions de sexualité. Je me suis rendu compte une fois encore que j'étais sans doute plus pudique que je ne l'imaginais. Au fond, je suis mal à l'aise quand je dois parler d'une certaine intimité. Peut-être est-ce une question d'éducation. Dans ma jeunesse, on n'évoquait jamais ses affaires de cœur à la maison. Et puis je me suis rendu à l'évidence que se taire, c'était l'opportunité laissée à toutes les interprétations, y compris les plus odieuses, de prospérer. De plus, l'écrit est le mode d'expression le plus adapté pour évoquer sans faux-semblant ces questions.

D'abord, et à mes yeux c'est essentiel, je veux redire ma conviction qu'on ne choisit pas sa sexualité. On choisit de l'assumer, de la révéler, de la vivre. Mais on ne décide pas de son orientation sexuelle. Au plus intime des secrets de la personnalité, avec la sexualité, l'inné joue un rôle déterminant. J'en tire la conclusion que reprocher à quelqu'un sa sexualité est aussi stupide que de stigmatiser sa couleur de peau ou sa taille. J'ai évoqué cette question lors d'un entretien privé au Vatican avec le pape Benoît XVI, pour qui j'éprouve admiration et amitié. Je lui ai fait remarquer que si l'homosexualité était un péché, l'hétérosexualité devrait être considérée comme une grâce ou au moins une « bonne action ». Or ce serait bien injuste puisque, prenant mon exemple, je lui précisai que je n'avais aucun mérite particulier car, aussi loin que je m'en souvienne, j'ai toujours préféré les femmes. Je n'ai pas choisi, je n'ai pas réfléchi. Ma sexualité s'est imposée à moi comme à chacun. Le pape a pris un temps de réflexion et m'a répondu avec sa grande humanité : « C'est bien pourquoi j'appelle l'Église à beaucoup de compréhension et d'indulgence, car il y a tant de souffrances derrière toutes ces questions. » C'est justement parce que j'en suis convaincu que je souhaite aller au bout de la réflexion. Car, à mes yeux, la question centrale n'est pas celle de la modernité, ni celle de la gauche ou de la droite, ni celle du mouvement ou de l'immobilisme, mais celle autrement essentielle de la « souffrance » de tous ceux qui se sentent différents, qui n'y sont pour rien et qui doivent avoir le droit de vivre tels qu'ils sont.

Je regrette vivement de ne pas avoir tenu l'engagement que j'avais pris de mettre en œuvre l'union civile pour les homosexuels lors de mon quinquennat. Cela aurait évité bien des polémiques inutiles. J'ai pensé alors, et sans doute à tort, qu'en période de déflagrations économiques mondiales, l'heure n'était pas aux réformes sociétales de ce type. Car, avec la crise économique, les risques de fracture dans la société sont encore plus violents. Alors que le monde était au bord du précipice, j'ai craint la réaction des Français se disant : « On perd nos emplois, notre épargne risque de se volatiliser, nos banques sont en ruine, et pendant ce temps le Président se mobilise pour l'union civile homosexuelle ! » L'argument ne manquait pas de force, sauf qu'à ce compte-là ce n'est jamais le bon moment... Quant à la souffrance, crise ou pas, elle se consume toujours pour les intéressés avec la même force. La vérité, c'est que j'aurais dû maintenir ce projet, sans tenir compte des circonstances. Ces « fameuses circonstances » qui justifient toujours l'inaction sur le moment et la font souvent regretter après.

Si on ne choisit pas sa sexualité, on ne choisit pas davantage le besoin d'amour. Qu'il soit hétéro ou homo, l'homme est ainsi construit, qu'il éprouve un constant besoin d'être aimé et d'aimer. Je l'ai dit, l'amour et le travail sont les deux grandes affaires de nos vies. Or l'amour a cette caractéristique propre d'avoir besoin de reconnaissance sociale. Je t'aime. Tu m'aimes, le monde entier doit le savoir... L'immense Tolstoï l'a bien noté dans l'explosion du couple que forment Vronski et Anna Karénine. La décision du premier de n'assumer aucune vie sociale avec sa « compagne » pèsera lourd dans la fin de leur histoire d'amour. De tous les temps et sur toute la planète, l'amour a eu besoin de cette reconnaissance sociale. Et c'est ainsi qu'intervient la question du mariage. Les homosexuels, comme les hétérosexuels qui veulent ancrer leur couple dans la durée, ne pouvaient se satisfaire du seul Pacs signé au greffe du tribunal d'instance. C'est ce qui m'avait conduit dès 2007 à proposer une union civile célébrée en mairie. La mairie étant le lieu symbolique, du point de vue civil, il n'y a aucune raison que les homosexuels soient privés de cette reconnaissance. Une cérémonie de mariage à la mairie pour les couples homosexuels me semble juste, et il ne saurait être question de contester ce droit ni, encore moins, de « démarier » les mariés. Ce serait injuste, cruel et, en outre, juridiquement impossible.

Pourtant, j'ai considéré que François Hollande avait eu tort sur cette question qui méritait davantage de tact et de sensibilité. Son erreur fut d'avoir voulu en faire, comme à l'accoutumée, une affaire politicienne. Il y avait, à ses yeux, d'un côté les intelligents, les modernes, les ouverts, et de l'autre les butors, les réactionnaires, les démodés. On a même entendu, palme incontestable de l'excès, Jacques Attali, pourtant souvent mieux inspiré, expliquer à propos de l'une des grandes manifestations d'opposition au mariage homo qu'il s'agissait ni plus ni moins de « fascistes en loden ». Ceux qui ont eu à affronter le fascisme pourraient mieux que moi dire le ridicule de la remarque. En agissant ainsi, on a divisé la société, raidi et crispé les attitudes de chacun, radicalisé les positions de tous. Et ce fut un mensonge de plus de la part de celui qui promettait de rassembler le pays. J'ai vu tout à coup des gens pourtant raisonnables, des deux côtés, devenir comme furieux, soudain inaccessibles au moindre raisonnement. La minorité s'est sentie agressée dans son identité, et la majorité s'est vécue comme coupable de son hétérosexualité. Tout le monde a régressé.

J'ai été très impressionné par le référendum irlandais sur le mariage homosexuel. Voilà un pays de tradition et d'ancrage catholique qui a réussi à en débattre plus sereinement. Il n'y a pas de mystère, pas davantage de hasard. Soixante pour cent de participation à ce référendum. Une large majorité en faveur du mariage homosexuel. Pas de tension. Pas de drame. Encore une fois était démontrée cette réalité que quand on a le courage de donner la parole au peuple, celui-ci sait la prendre de façon raisonnable et mesurée. C'est ce qui aurait dû être fait en France. Ce que le président de la République n'a pas eu la hauteur de vue de proposer.

Je suis allé à la réunion de l'association Sens Commun en novembre 2014, au moment où les débats étaient encore vifs. La dureté des échanges m'a stupéfié. J'ai mesuré à ce moment-là combien François Hollande avait divisé les Français. Je suis conscient que mon propos n'a pas été compris, sans doute parce qu'il était ambigu. Je veux clarifier les choses, parce que je sais qu'il y a de l'inquiétude sur ce sujet. Jamais je n'ai eu l'intention de contester la légitimité d'un mariage homosexuel. Il ne sera donc pas question de démarier les mariés ou de revenir en arrière sur le principe du mariage homosexuel. J'avais pensé à l'époque que les ambiguïtés de la loi Taubira sur certains points imposeraient une nouvelle rédaction. À la réflexion, je crains que, compte tenu de l'état de tension et de division de la société française auquel a abouti la méthode de François Hollande, le remède soit pire que le mal. Je ne souhaite donc pas qu'on légifère à nouveau, parce que la priorité doit être de rassembler les Français. C'est un point sur lequel, je l'assume, j'ai évolué.

J'ajoute enfin que ce fut une deuxième erreur de jumeler la mise en place du mariage homosexuel avec l'attaque idéologique autant que systématique de la politique familiale telle qu'elle avait été établie depuis 1945 par tous les gouvernements de droite comme de gauche. Cette rupture était particulièrement malvenue au moment où il aurait fallu conforter la famille dans sa vision traditionnelle, afin de mieux lui faire accepter certaines évolutions sociétales devenues incontournables. La réduction drastique des aides fiscales aux emplois familiaux, le matraquage des classes moyennes avec l'abaissement des plafonds pour bénéficier des allocations familiales, la diminution du montant des parts par enfant dans le calcul de l'IRPP furent vécus comme autant de provocations. En fait, on n'aurait pas pu s'y prendre plus mal. Le résultat fut un immense gâchis pour tout le monde.

Je tiens à préciser que, dans mon esprit, la politique familiale ne doit jamais être un élément d'une politique de redistribution des revenus.

Il y a pour cela l'IRPP, la CSG et les différents prélèvements de et pour la solidarité. Les allocations familiales sont prévues pour compenser en termes de pouvoir d'achat ce que peut faire peser la venue d'un nouvel enfant dans une famille. N'oublions pas que, les cotisations étant déplafonnées, les « salaires élevés » cotisent davantage. Si le coût est trop élevé, c'est tout le consentement à l'impôt qui se trouve affaibli.

La violence fiscale faite aux classes moyennes par la gauche devra être corrigée dès notre arrivée aux responsabilités. La politique familiale française est une réussite et l'un des (rares) sujets d'inspiration pour tous les autres pays. Pourquoi vouloir démolir ce qui fonctionne ? Je pense notamment à ce qui est ni plus ni moins une aberration : la diminution du nombre des emplois familiaux. Comme si notre pays ne comptait pas déjà assez de chômeurs. Une défiscalisation ambitieuse des emplois familiaux devra être rétablie, pour tenir compte du montant total des charges payées sur ces emplois par les familles. Il ne s'agit évidemment pas de faire un « cadeau » aux plus aisés, mais de donner à tant de personnes aujourd'hui sans emploi et souvent sans formation l'opportunité d'un travail déclaré et rémunérateur. On peut même dire ironiquement que la politique menée par le gouvernement socialiste depuis bientôt quatre années a fini par porter ses fruits. Pour la première fois depuis 1999, le taux de natalité en France a diminué. Ils ont donc même réussi à casser la dynamique des naissances dans notre pays… Le mot gâchis à ce propos ne m'apparaît nullement exagéré.

Tous ces débats sur la famille, sur sa composition, sur son statut, sur ses limites devront donc être engagés sans tarder, sans hystérie et sans idéologie. Soulignons que la course effrénée aux nouveaux statuts doit s'apaiser. Je pense notamment à la question des « beaux-parents » dans les familles recomposées. J'ai été un beau-père – je le suis toujours – pour Aurélien, le fils de Carla. Je ne crois pas que tout doive faire l'objet d'une loi, d'une rigidification, d'une organisation publique forcément identique pour tous. Les divorces sont souvent compliqués. Il y a, la plupart du temps, un perdant et un gagnant. Il y a toujours (même quand il n'y a plus d'amour) de la peine et du ressentiment. Faisons confiance aux familles pour trouver avec le temps qui passe et qui apaise le bon équilibre. Je ne suis pas sûr que donner de nouveaux droits aux « beaux-pères » dans les familles recomposées simplifiera la situation, bien au contraire.

Ma conviction est de même nature s'agissant de la fin de vie. Je vois de chaque côté des oppositions si tranchées, si violentes, au fond si simplistes. Si mourir était simple, cela se saurait. L'affaire Lambert fait littéralement froid dans le dos. La violence du déchirement intrafamilial finirait par faire oublier que la première victime est celui qui se trouve cloué au lit sans pouvoir communiquer ni avec sa femme ni avec ses enfants, ni avec ses parents.

Est-ce une nouvelle loi qui résoudra ce drame ? Je ne le crois pas. Je sais que les Suisses ont codifié l'euthanasie. Ils ont ainsi prévu dix-huit cas répertoriés où elle est possible. Il suffit de cocher la bonne case dans le formulaire, et on organise ainsi sa mort. Je considère cela glaçant, et surtout bien peu adapté à nos sociétés latines. En tout cas, en ce qui me concerne, si j'étais confronté à ce drame, je voudrais qu'on laisse mes plus proches, ma femme et mes enfants, décider, en accord avec les médecins, de la meilleure solution. Si tant est qu'il y en ait une... Je suis certain qu'ils feraient au mieux. Avoir confiance en ceux qui vous aiment pour décider de la fin de cette période grise, qui n'est plus tout à fait la vie, sans être encore la mort. C'est, me semble-t-il, la seule solution raisonnable. La famille, ce n'est pas qu'un mot, ce doit être une réalité, notamment au moment le plus critique de notre vie, celui de notre mort...

* * *

La France a aussi traversé de nombreux épisodes de tension ces dernières années.

Dans ma propre famille politique, j'ai pu mesurer cette tension à l'aune des sifflets qui ont accompagné Alain Juppé et François Fillon lors de notre dernier congrès. Ces manifestations m'ont gêné. D'abord parce qu'elles ont été mises injustement sur mon compte. Ensuite parce que je trouvais que nous ne donnions pas une bonne image. Mais qu'y faire ? Quand des milliers de personnes sont dans une salle et qu'elles entendent un propos avec lequel elles ne sont pas d'accord, elles le disent bruyamment. Nous sommes en 2015, les gens prennent la parole comme et quand ils le souhaitent. Je peux le regretter, mais les bâillonner au sens propre comme au figuré ne me semble pas une idée très pertinente... Pour Alain Juppé, les sifflets portaient sur ce qu'il disait. Sa personne n'était nullement en cause. Pour François Fillon, c'était plus compliqué. Beaucoup de gens ont pensé que, après avoir été nommé cinq années durant Premier ministre, il n'était pas forcément le mieux placé pour critiquer celui qui lui avait, à ce point, donné sa confiance. Je ne dis pas cela pour régler une querelle, car je n'éprouve aucune rancune. En l'occurrence, chacun est libre de penser, de dire et de faire comme il l'entend. J'essaie juste de clarifier les réactions épidermiques de nombre de Français qui n'ont pas besoin d'explications pour comprendre le dessous des cartes.

J'ai été étonné par la caricature selon laquelle j'aurais « humilié » mon Premier ministre. Quelle drôle d'idée. Il est d'ailleurs facile de faire litière de cette fable. Si François Fillon avait alors été si malheureux, pourquoi aurait-il accepté de si bon gré que je le renomme à trois reprises ? Et surtout pourquoi aurait-il tant fait pour que je le maintienne à son poste ? La vérité, c'est que pendant cinq années nous avons travaillé en parfaite harmonie. Reconstruire l'histoire n'a jamais servi la vérité. Les faits parlent bien davantage que les postures.

J'ai peut-être commis une erreur. J'ai trop souvent pris les silences de François Fillon comme autant d'acquiescements. Souvent, au cours de nos rendez-vous, je l'interrogeais. Je lui demandais son avis. Je réfléchissais à haute voix avec et devant lui. Et je me rendais compte plus tard qu'il s'en était souvent tenu à une prudente réserve. Je ne pense pas que c'était pour se protéger, mais plutôt qu'il s'agissait des caractéristiques d'un tempérament complexe et plus secret que je ne l'avais imaginé. Si c'était à refaire, je choisirais le même Premier ministre, car il a rempli son rôle avec sérieux et responsabilité. Cela aurait-il été le cas de tous les autres prétendants de l'époque ? Encore aujourd'hui, je n'en suis pas certain.

Choisir les personnes avec qui l'on travaille est beaucoup plus compliqué qu'on ne le croit. Le premier écueil consiste à éviter de toujours garder les mêmes afin de combattre le risque d'enfermement. Or c'est plutôt mon inclination naturelle. Au fond, je suis un homme d'habitudes. Je ne goûte guère le changement d'entourage. Je me sépare difficilement de mes proches, et il est assez rare qu'ils me quittent. S'agissant de quelqu'un comme moi, si souvent décrit comme d'une humeur changeante et éruptive, cela devrait interloquer les observateurs de constater que j'ai toujours les mêmes secrétaires, dont une depuis bientôt trente ans. Quant à la petite équipe qui m'entoure, je les connais tous depuis des années. J'apprécie cette stabilité. Je me sens en confiance avec eux. Ils savent pouvoir compter sur moi en toutes circonstances. Nous vivons avec nos rituels, notamment celui des réunions du dimanche après-midi à mon domicile ou ces appels téléphoniques que je passe tôt le matin pour obtenir le résumé d'une presse que je ne lis plus depuis des années afin de m'en protéger. Ce qui prouve que je suis plus sensible à la critique des journalistes que je ne veux bien le reconnaître. Au moment de choisir mes collaborateurs, peu m'importent leurs diplômes ou leur carrière précédente. Ce qui compte à mes yeux, c'est d'abord leur énergie vitale, leur capacité à trouver des solutions, leur force de travail et aussi une certaine dose d'optimisme. Je confesse que la « sinistrose » chez les autres peut rapidement m'agacer. En vérité, je la fuis. Les porteurs systématiques de mauvaises nouvelles n'ont pas davantage mes faveurs. J'observe que certaines personnes en ont fait leur spécialité. Prédire des catastrophes semble leur conférer à défaut d'une utilité au moins une forme d'identité. C'est une de mes faiblesses. Étant d'un tempérament résolument positif et optimiste, je ne comprends pas toujours ceux qui ne partagent pas « spontanément » mon enthousiasme.

Je reconnais qu'à la longue cela peut être fatigant pour les autres et notamment pour mes plus proches.

J'aime l'originalité, celle de la personne comme celle de son parcours. J'aime également la diversité. Mon aversion pour la pensée unique s'est souvent traduite par le caractère hétéroclite de mon environnement professionnel. Je me suis toujours demandé comment je pourrais prétendre rassembler la France, composée de si nombreuses différences, si je n'étais pas moi-même capable de fédérer un entourage devant faire écho par sa composition aux « différences françaises ». Je ne fus pas toujours compris, tant s'en faut. Je me souviens en 2006 des remarques d'Édouard Balladur quand il apprit que j'avais fait venir auprès de moi Henri Guaino, dont j'apprécie les très nombreux talents sans partager toutes les idées. « Vous qui croyez en l'Europe, comment pouvez-vous travailler avec un homme qui a dit non à Maastricht ? » Je faisais le raisonnement inverse. C'est justement parce que j'avais toujours dit oui à l'Europe que je me devais d'entendre, de parler, de travailler avec des partisans du non. Si l'on ne peut échanger qu'avec des gens qui sont en tout point d'accord avec vous, c'est que l'on a une conception du rassemblement bien étriquée. Au fond, je me nourris de ces points de vue opposés, contradictoires, difficilement conciliables. J'apprécie l'effort de synthèse qu'ils réclament... C'est peut-être ce que j'aime le plus faire : trouver un chemin dans une situation qui paraît, aux autres, inextricable. Je confesse aimer à élaborer de bons arguments, à soutenir une position et son contraire avant que de prendre ma résolution. J'aime peser le pour et le contre. Je me

mets assez facilement à la place de l'autre pour considérer ce que je ferais moi-même si j'étais lui.

J'ajoute que cette diversité m'a permis de ne jamais
être sous l'influence d'un seul. J'essaie de conserver ma liberté de penser jusqu'au dernier moment.
Je n'aime pas appartenir à un seul camp contre les
autres. J'apprécie l'inspiration que tous me donnent,
et me réserve le droit de prendre des idées à chacun.
Peut-être que mon attirance pour « les différents »
vient de ma piètre inclination pour l'ordre établi, la
bien-pensance, le classicisme, une forme d'ordre social
bourgeois. Je les respecte. Je connais leurs valeurs et
leurs utilités. Mais, mon Dieu, que cela m'ennuie ! Je
ne dirai jamais assez combien je trouve le temps long
dans l'univers confus des notabilités. Ces réunions
interminables où seuls comptent le titre et la position
des uns et des autres m'assomment littéralement. Je ne
suis pas fier de ces sentiments qui soulignent le fait
que, malgré « ma carrière », je me sens si peu installé
dans la haute société française. Comme je n'apprécie
guère l'univers des élites, qui, étonnées qu'on puisse
ne pas souhaiter en être, m'a donc désigné comme
étant attiré par le « strass » et la superficialité.

D'une certaine façon, j'ai dû rester fixé à l'époque
où, jeune homme, je forçais des portes pour entrer
dans le cercle des puissants sans même me rendre
compte qu'elles m'étaient déjà largement ouvertes...

Cette curiosité pour les personnalités « différentes »
m'a parfois amené à commettre des imprudences que je
regrette aujourd'hui. Ce fut le cas avec Patrick Buisson.
Une partie de mes « bons amis » et certains journalistes

ont voulu donner à celui-ci une importance dans mon entourage qu'il n'a jamais eue. Il est vrai que j'appréciais sa grande intelligence et sa capacité hors norme à s'engager dans des analyses prédictives en général cohérentes et souvent justes. Il m'avait notamment impressionné en 2005 en m'annonçant bien avant tous les autres, et à l'inverse des sondages de l'époque, sa certitude que le « non » allait l'emporter au référendum de Chirac sur l'Europe. Il m'avait même dit : « Si je me trompe, je vous demande de ne plus jamais me recevoir ! » C'est dans ces circonstances que j'ai voulu qu'il intègre mon équipe. Son utilité fut réelle, sans jamais être exclusive.

Cependant, j'ai gravement sous-estimé des traits de son caractère qui auraient dû me mettre en garde. Je n'ai pas voulu écouter ceux qui pensaient qu'il « sentait le soufre ». Je me suis trompé et j'ai été abusé. Encore aujourd'hui, il m'arrive de me demander comment j'ai pu me laisser duper par quelqu'un qui s'est révélé capable d'enregistrer nos conversations, y compris privées. Le pire étant que l'intéressé n'a nullement pris conscience de la gravité de sa trahison. Si au moins il avait reconnu : « J'ai fait une bêtise. Je m'en excuse. J'ai perdu pied. » Je ne dis pas que je lui aurais pardonné, mais en tout cas j'aurais tourné la page plus aisément.

Ceux qui me connaissent savent que je n'ai jamais voulu de « maître à penser ». Je n'ai pas l'intention que cela change. Je dirais même que ma liberté de penser s'est bien accrue avec les années qui passent. Quelle qu'ait été pour moi l'importance de tous ceux avec qui j'ai travaillé durant ma carrière, j'ai toujours veillé scrupuleusement à respecter leurs points de vue, fussent-ils différents des miens, comme ils s'appliquaient en retour à garantir ma liberté de choisir en dernier ressort.

Souvent d'ailleurs ma propre équipe a été divisée sur les décisions qu'il me fallait prendre. Devais-je revenir à la présidence de l'UMP en 2014 ? Devais-je rester dans le gouvernement de Dominique de Villepin en 2006 ? Devais-je accepter de quitter l'Intérieur pour les Finances comme le demandait Jacques Chirac en 2004 ? Fallait-il lancer le grand emprunt pour les investissements alors que la France était si endettée en 2010 ? Et que dire des innombrables débats passionnés entre nous à propos de la réforme de la Constitution de 2008, où fut adoptée la question prioritaire de constitutionnalité. Quand on a la chance qui fut la mienne de travailler avec des personnes aux tempéraments si affirmés et aux qualités si exceptionnelles que Xavier Musca, Claude Guéant, Henri Guaino, François Pérol, Michel Gaudin, Emmanuelle Mignon, Pierre Giacometti, Frédéric Péchenard, le jeune et prometteur Sébastien Proto, on sait ce qu'apporte la diversité des opinions. J'ai besoin de cette richesse intellectuelle, j'éprouve du plaisir à évoquer des angles originaux et à explorer des voies nouvelles. Il s'agit en fait de trouver une réponse à l'une des grandes difficultés de la politique : savoir se renouveler. Les problématiques évoluent aujourd'hui à une vitesse vertigineuse. Les vieilles recettes ne sont plus adaptées. Trouver de nouveaux concepts est devenu impératif.

Je peux dire en définitive que mon équipe, dans son ensemble, a bien servi la République. Chacun à sa manière a sacrifié sa famille, sa santé, ses intérêts personnels pour avoir l'honneur de servir la France. Je peux témoigner de l'émotion réelle de Claude Guéant lorsque nous sommes arrivés à l'Élysée. Je peux assurer qu'il s'est, avec d'autres, « tué à la tâche », venant même travailler le lendemain de la mort de son épouse. Je ne l'ai jamais entendu se plaindre. Voir tous ceux qui étaient si empressés à obtenir son attention se détourner de lui aujourd'hui m'attriste. Je sais que c'est la vie, et sans doute aussi la nature humaine. Je ne me crois en aucun cas meilleur que les autres, mais je veux dire du fond du cœur que je n'aime vraiment pas cette façon de faire et de vivre. Nous devons tous rendre des comptes sur ce que nous avons fait. Cela va de soi. Pour autant, j'observe le traitement qui est réservé à tant de mes anciens collaborateurs le plus souvent seulement « coupables » d'avoir travaillé à mes côtés. Ce qui dans une démocratie « normale » ne devrait quand même pas être si grave que cela... Je me dis qu'un jour peut-être notre pays aura bien du mal à attirer les meilleurs d'une génération vers les emplois publics ou tout simplement vers la politique. Il ne faudra pas alors se plaindre de voir de brillants diplômés attirés par la seule entreprise et le secteur privé. Or ce n'est être ni idéaliste ni naïf que d'affirmer que nous avons besoin d'une génération dont l'ambition première sera de se battre pour la France, pour qu'elle se projette de nouveau vers l'avenir et renoue avec cet éclat qui en a fait l'un des phares de la civilisation, pour qu'elle demeure une puissance mondiale, pour qu'elle continue à croire en l'universalité de son message.

Enfin, j'ai sans doute commis une autre erreur en laissant mes collaborateurs s'exprimer publiquement alors que j'étais à l'Élysée. D'abord parce que cela donnait à penser qu'ils avaient une légitimité démocratique propre. Ce qui n'était pas le cas. Ensuite parce que cela agaçait nombre de mes ministres imaginant être ainsi « doublés ». Enfin parce que cela a pu légitimement donner une impression de cacophonie. Or ce n'est pas du fait d'une « quelconque » faiblesse que je les ai laissés prendre la parole. C'est d'abord parce que je trouvais, peut-être injustement, que ceux qui auraient dû s'exprimer ne le faisaient pas assez, et ensuite que j'essayais d'éprouver de nouveaux talents qui seraient capables, un jour, d'avoir une véritable dimension politique. Mais finalement j'ai pu constater que les inconvénients de cette stratégie médiatique l'ont sans doute emporté sur les avantages.

* * *

La magistrature suprême est solitaire. On y découvre et on y apprend la solitude. Le métier de président s'apprend mais ne s'enseigne pas. Ironie de l'histoire, on n'est jamais meilleur qu'au moment de quitter le pouvoir. Ce pouvoir qui fascine tant et qu'on commence à perdre à la minute où l'on vient de le conquérir. Il paraît brutal et puissant. Je sais maintenant qu'il est fragile et qu'il ne tient qu'à un fil. Comme nos vies. C'est naturel, puisque le pouvoir n'est rien d'autre que la vie en accéléré.

8

Dix années de gestion de crise

J'ai eu de nombreuses crises à affronter et à gérer tout au long de ma vie politique. Celle des banlieues de l'automne 2005 tient cependant une place particulière dans ma mémoire. Sa soudaineté, sa violence, sa longueur, le contexte politique bien particulier de l'époque expliquent que c'est sans doute le moment de ma carrière d'homme d'État où tout aurait pu basculer du mauvais côté à la moindre faute ou au moindre écart.

Nous étions à peine sortis des polémiques sur le « Kärcher » et la « racaille ». J'étais très régulièrement accusé de mettre le feu à la France par mes « provocations ». « Racaille » est le mot employé par une personne d'une cité d'Argenteuil que j'arpentais en tant que ministre de l'Intérieur. « Débarrassez-nous de cette racaille. On n'en peut plus », m'avait, en pleine nuit, lancé cette dame de sa fenêtre. Je lui avais répondu : « Oui, Madame, je suis là pour vous débarrasser de cette racaille. » La presse ne tarde pas à réagir et titre « Le nouveau dérapage de Sarkozy ». Pour le coup, je n'ai toujours pas compris la nature du dérapage. À moins que l'on ne considère ces individus, qui ce soir-là avaient saccagé la ville, comme de simples citoyens... Qu'on les appelle casseurs, voyous, délinquants ou... racailles, la signification est la même. Il fallait trouver une explication aux troubles dans les banlieues... C'était moi, ce ne pouvait être que moi, et surtout pas les trafiquants de drogue mécontents d'être dérangés dans leurs trafics par nos contrôles systématiques, ou l'embolie de notre système d'intégration. Quant au « Kärcher », j'avais employé l'expression alors que je sortais très ému de ma visite à la famille de ce petit garçon de dix ans assassiné le jour de la fête des Pères, alors qu'il nettoyait la voiture familiale, par un individu qui « s'amusait » dans la cité des 4 000 à La Courneuve à tirer de sa fenêtre. J'avais voulu signifier par mon expression que nous étions décidés à engager une action de long terme pour éradiquer trafic et trafiquants, en profondeur. Là encore mon vocabulaire avait fortement déplu à la vulgate médiatico-politique, dont à vrai dire je ne me souciais guère déjà à l'époque. C'est sans doute cette « indifférence » qui a facilité mon élection de 2007. D'une certaine façon, j'ai bien été aidé par cette opposition du microcosme, comme l'avait appelée Raymond Barre.

Ce ne sont pas mes propos qui avaient déclenché la crise, mais un fait divers dramatique. Deux adolescents étaient morts électrocutés alors qu'ils étaient entrés dans un poste électrique à Clichy-sous-Bois. Des centaines puis des milliers de véhicules furent incendiés chaque nuit durant trois semaines sans interruption. La presse du monde entier était en émoi. L'image de notre pays était celle d'un lieu à feu et à sang. Les véhicules brûlaient, les projectiles pleuvaient, la fièvre s'emparait de cités entières où l'État de droit n'avait plus sa place.

J'étais ministre de l'Intérieur, et seul. Dès le premier jour du déchaînement de cette violence, j'ai eu une obsession, celle d'éviter une nouvelle affaire Malik Oussekine, car alors je pressentais que nous ne pourrions plus rien contrôler. Je ne voulais pas de victimes, ni du côté des assaillants ni du côté des forces de l'ordre, qui ont agi tout au long de ces trois semaines de crise avec un sang-froid et un professionnalisme qui ont fait honneur à la République. On les critique si souvent et si injustement... Il suffit de regarder ce qui se passe à l'étranger dans les mêmes circonstances pour comprendre que nous avons la chance de pouvoir compter sur l'une des meilleures polices au monde. Et de fait, tout au long de cette interminable crise, il n'y eut pas un seul mort. Je ne suis pas peu fier de ce que je considère encore aujourd'hui comme un miracle ou un exploit, selon le camp politique où l'on se trouve... C'est avec cet objectif d'absence de bavures que j'ai rapidement pris la décision d'effectuer moi-même, tous les soirs, la remise des consignes aux forces de l'ordre dans chacun des départements confrontés aux plus forts risques de violence. Dans cette tâche, j'ai pu compter sur le professionnalisme et le dévouement du directeur de la police nationale de l'époque, Michel Gaudin. Nous nous déplacions tous les soirs à partir de 22 heures. Nos instructions étaient claires : arrêter un maximum d'émeutiers, et tenir... jusqu'à ce que le brasier finisse par s'apaiser.

Rien ne s'est apaisé en fait. J'avais sous-estimé l'impact des images qui agissaient sur les casseurs comme l'alcool sur les protagonistes d'une bagarre. Les émeutiers étaient comme enivrés par le spectacle qu'ils donnaient, si largement médiatisé. Des écoles étaient vandalisées, des bureaux administratifs saccagés, des bibliothèques ravagées. Michel Gaudin me remettait chaque soir la liste des nouvelles, toutes plus mauvaises les unes que les autres. Je dois convenir que je me suis montré injuste avec lui une nuit où, en voiture, il me dressait le bilan des dernières nouvelles. « À Nîmes cela va mal, à Toulouse c'est la catastrophe, à Évreux on ne contrôle plus la situation. » Après une semaine de nuits blanches, je l'interrompis, excédé : « Je sais que cela va mal, épargnez-moi votre litanie. — Il faut bien que je vous dise la vérité », me répondit-il avec cette précision chirurgicale qui le caractérise. Il n'avait pas tort, mais voilà bien la difficulté des périodes de crise. En savoir assez pour évaluer lucidement la gravité des problèmes. Mais ne pas trop entrer dans les détails afin d'éviter d'être submergé. Comprendre l'intensité de la difficulté sans être dominé par un stress si important qu'il pourrait faire perdre le sang-froid nécessaire à la prise de décision. Et surtout rester en mesure d'imaginer la sortie de l'impasse. Être déprimé en période de crise est aussi peu recommandé qu'être exalté. C'est pourquoi il est si important de pouvoir compter sur un entourage capable de filtrer les informations sans pour autant s'isoler de la réalité. Plus facile à dire qu'à faire.

Une nuit où les forces de l'ordre étaient débordées de toutes parts et où je me trouvais à la cité des

Tarterêts, je fus à deux doigts d'être encerclé par les émeutiers. Je décidai alors d'engager des hélicoptères équipés de puissants projecteurs capables d'éclairer comme en plein jour une superficie équivalente à un terrain de football. Les casseurs aiment l'obscurité, les capuches, les foulards qui les dissimulent aux caméras de la police. Nos hélicoptères furent d'une efficacité redoutable. À leur simple vue, les émeutiers se dispersèrent. Nous reprenions de façon inespérée le contrôle de la situation. Pourtant, dès 8 heures le lendemain matin, je reçus un appel du président Jacques Chirac : « J'ai regardé la télévision hier soir, qu'est-ce que c'est que cette histoire d'hélicoptères ? Nous ne sommes pas aux États-Unis. Je ne veux plus en voir voler un seul ! » Je laissai passer l'orage et lui répondis le plus posément possible : « Dans ce cas, il va vous falloir trouver un nouveau ministre de l'Intérieur, car j'estime de mon devoir de les utiliser. C'est donc ma responsabilité. » Excédé, le Président me rétorqua : « Et s'ils s'écrasent au sol dans des quartiers si peuplés ? — Je suis conscient du risque, mais il m'apparaît moins plausible que la perte généralisée de contrôle par les forces de l'ordre. En tout état de cause, monsieur le Président, j'en assumerai quoi qu'il arrive toutes les conséquences. Et dans ce cas aussi, il vous faudra un autre ministre de l'Intérieur. » Comme on peut en juger, nos rapports étaient fondés à ce moment-là sur une confiance qu'il est honnête de qualifier de relative...

Curieusement, nos relations ne tardèrent pas cependant à se réchauffer à la suite d'une initiative que le Premier ministre, Dominique de Villepin, voulut

173

absolument mettre en œuvre. Sans doute soucieux de ne pas être absent de la « ligne de front », ce dernier eut l'idée d'instaurer l'état d'urgence et le couvre-feu. C'était un dimanche. Le Président m'appela à l'aide. « Le Premier ministre veut annoncer à 20 heures l'état d'urgence dans les banlieues. Je suis très réservé. Quel est ton avis ? » Je n'ai eu aucun mal à le lui donner puisque je partageais en tout point ses réticences. J'ajoutai un argument : « Le Premier ministre sait-il que l'état d'urgence et le couvre-feu imposent que nous mettions en garde à vue tous ceux qui enfreindraient ce dernier ? Rien que dans le quartier du Mirail à Toulouse, il pourrait s'agir de milliers de personnes. Ne prenons surtout pas une mesure que nous serions incapables de mettre en œuvre. » Je fus quelque peu désarmé par la réponse de Jacques Chirac : « Aide-moi à le convaincre, je n'y arrive pas. — Il suffit pourtant que vous lui en donniez l'instruction ! » Je n'obtins aucune réponse. L'histoire se finit de façon assez surréaliste. Le soir même, à 18 heures, dans le bureau du Président où nous étions tous les trois réunis, Jacques Chirac rendit l'arbitrage suivant : Dominique de Villepin était autorisé à annoncer l'état d'urgence (qu'il souhaitait donc ardemment) à la condition qu'il précisât qu'il serait mis en œuvre par le ministre de l'Intérieur (qui n'en voulait à aucun prix). Au fond, ce n'était qu'un avant-goût du CPE qui fut signé par le Président sans être promulgué… Il nous est arrivé d'être plus clair en matière de gestion des affaires de l'État.

J'ai cependant beaucoup retenu de cette période. Notamment sur la nécessité absolue de l'unité dans le commandement et dans l'animation de l'équipe de crise. Sur l'importance de savoir s'extraire du quotidien, du très court terme, de l'ambiance éruptive du moment pour sans cesse voir plus loin et éviter les impasses. Sur l'impératif de garder un cap, une logique, une cohérence. Sur la capacité à se mouvoir dans le temps et dans l'espace pour ne pas perdre son fil conducteur. Sur l'obligation de se garder comme de la peste des deux extrêmes que sont la tentation de l'immobilisme et celle de la sur-réaction. D'où l'importance d'avoir une administration qui sait obéir et exécuter les ordres. De ce point de vue, l'Intérieur et la Défense sont exemplaires. Je ne dirais pas la même chose de toutes nos institutions administratives.

* * *

De mes relations avec Jacques Chirac, je dirais qu'elles ont été passionnelles et complexes. Je l'ai connu alors que je n'avais que vingt ans. D'une certaine façon, il fait donc partie de ma vie. Il a en tout cas beaucoup compté pour moi. J'ai admiré son énergie, sa force, son allure, sa façon de dévorer la vie. Je lui dois beaucoup aussi. Je ne me serais pas engagé en politique sans lui. Il m'a confié des responsabilités très lourdes. Je lui en serai toujours reconnaissant. Nous avons vécu des moments exaltants ensemble. Et je peux comprendre sa fureur quand j'ai fait le choix d'Édouard Balladur. À mon crédit, je le lui ai expliqué en face lors d'un entretien orageux au début de l'année 1994. Il ne l'a donc pas appris par la presse. À mon débit, il comptait sans doute sur moi, et je lui ai fait défaut. J'ai moins aimé, et c'est ce qui a expliqué mon éloignement, sa propension à changer de discours et de convictions. Au fond, j'ai toujours de l'affection pour lui, et même du respect. Je ne l'ai jamais tutoyé malgré ses nombreuses demandes. Cette affection et ce respect, je les ai prouvés en assumant en ses lieu et place les conséquences financières auprès de la Ville de Paris de l'affaire dite des « emplois fictifs ». Lorsque j'étais président de l'UMP, nous avons dédommagé la Mairie de Paris alors partie civile pour pas loin de 1,5 million d'euros. Et pour faire bonne figure, j'ai également répondu favorablement à la demande d'Alain Juppé que nous réglions par l'UMP ses frais d'avocats de l'époque. Je ne dis pas cela pour révéler un secret, ni pour me donner le beau rôle, mais tout simplement pour que l'on comprenne que mon état d'esprit ne m'a jamais porté à la revanche ou au règlement de comptes. Ces deux hommes avaient beaucoup fait pour notre famille politique. Il m'a semblé naturel d'être à leurs côtés lorsqu'ils ont été en difficulté.

Dominique de Villepin et moi nous sommes bien entendus au gouvernement. J'ai apprécié son énergie et son volontarisme. De surcroît, il peut être drôle et sympathique, et nous aimons désormais parler de notre passion commune pour les livres et les lettres autographes. Mais, outre la rivalité qui a pu nous opposer brièvement en 2006, il y eut surtout sur notre route commune l'affaire Clearstream.

C'est à la une du *Point* que je découvris l'existence de cette « banque de compensation » située au

Luxembourg, dont j'ignorais absolument tout. Le titre de l'hebdomadaire n'était pas équivoque : « Un scandale d'État ». Le scandale d'État, c'était moi, puisque, à ma stupéfaction j'apparaissais à deux reprises, de façon à peine dissimulée, sur les fichiers de ladite banque. L'un de mes prétendus comptes était au nom de Paul Nagy, l'autre de Stéphane Bocsa. Or je m'appelle Nicolas, Paul, Stéphane Sarkozy Nagy Bocsa. Pour être grosse, la ficelle n'en était pas moins ingénieuse. Ultime précision : un de ces fameux comptes « fictifs » avait été « fictivement » alimenté par un certain Brice Hortefeux. En découvrant cela, et tout ministre des Finances que j'étais alors, je devins littéralement fou de rage. Je ne pouvais en croire mes yeux. Trafiquer des fichiers, monter un traquenard de cette ampleur, ourdir un tel complot, je pensais sincèrement que cela ne pouvait exister que dans les films, et encore, ceux de l'après-guerre. Je finis par devenir littéralement obsédé par cette machination... Je décidai donc de tout mettre en œuvre pour en découvrir les auteurs. Jacques Chirac essaya à plusieurs reprises de m'en dissuader : « Tu attaches trop d'importance à tout cela. Personne ne croit à cette histoire. Laisse tomber ! » Facile à dire lorsque ce n'est pas vous qui êtes la cible. Les conseils de Jacques Chirac produisirent l'effet inverse de celui qu'il recherchait. Je redoublai en effet d'efforts pour trouver le ou les coupables. Les langues ne tardèrent pas à se délier et toutes convergeaient vers un certain Gergorin. Je ne le connaissais pas. Comment pouvait-il m'en vouloir à ce point ? Sa réputation était celle d'un homme de l'ombre, qui fut proche de Jean-Luc Lagardère, toujours agité par les derniers secrets qu'il se vantait de détenir. Certains allaient même jusqu'à lui attribuer un équilibre psychologique fragile. J'appris par la suite que c'était lui l'auteur de la lettre anonyme me dénonçant au juge Renaud Van Ruymbeke. Ce dernier fit son travail et engagea deux commissions rogatoires internationales pour découvrir mes supposés comptes. Évidemment sans succès. Car il est « difficile » de trouver des comptes qui n'existent pas. Après avoir été littéralement abasourdi, je ne décolérais plus. C'est alors que s'ancra ma décision d'aller jusqu'au bout, de déposer plainte et de débarrasser la République de gens capables d'agir ainsi. La justice fit son travail et, même si ce fut long, finit par découvrir les auteurs, MM. Lahoud et Gergorin. Je ne connaissais pas davantage le premier que le second. La preuve était ainsi apportée qu'il y avait bien eu un complot dont j'étais l'une des principales cibles, et que les responsables avaient été démasqués. Restait à découvrir le commanditaire de cette barbouzerie… Hélas, on ne le connaîtra jamais. Mais c'est ici que les soupçons s'étaient dirigés vers Dominique de Villepin qui avait eu de très nombreux contacts avec le dénommé Gergorin. Aurais-je dû retirer ma plainte une fois élu président de la République ? Sans doute… Non parce que les faits étaient bénins, mais parce que, devenu Président, j'aurais dû savoir tourner cette page. Je regrette aujourd'hui de ne pas avoir eu cette magnanimité. Contrairement à ce qui a pu être dit et écrit, il n'y avait pas de calcul dans ma décision, et même, en fait, pas assez. J'avais été élu, ni Jacques Chirac ni Dominique de Villepin n'étaient en position de rivaliser. La vérité, c'est que j'étais littéralement tombé des nues. Peut-être moquera-t-on cette naïveté, mais j'étais choqué, bouleversé au plus profond de moi. Je ne pouvais accepter que ces méthodes dont je savais qu'elles avaient existé dans le passé au sein de la famille gaulliste puissent perdurer. Au fond, j'ai investi trop de sentiments et de passion dans ce cloaque. Dominique de Villepin fut innocenté ; j'en pris acte. Je perdis spectaculairement la bataille médiatique. Au lieu de parler de la machination dont j'avais été la victime, les médias décrivirent en détail cette « haine inexpugnable » qui nous dressait l'un contre l'autre. Avec un talent certain, l'ancien Premier ministre déclara : « Je suis ici [au tribunal] par la volonté d'un homme qui veut m'abattre. » Il gagna la bataille de l'image.

Ce fut bien plus tard, deux années après ma défaite, que je croisai de nouveau Dominique de Villepin. C'était un samedi après-midi. Je discutais avec un libraire, proche du palais du Luxembourg, qui me faisait découvrir une partie de sa collection quand la porte s'ouvrit et que Dominique de Villepin apparut. Je ne sais lequel de nous deux fut le plus surpris. « Je ne savais pas que vous vous intéressiez à ce point aux livres et à l'art. » Visiblement, je remontais dans son estime. « Pourquoi n'en avez-vous jamais parlé ? — Justement parce que c'est important et très personnel pour moi. » Il me proposa alors de l'accompagner chez un libraire du quartier pour me montrer des pièces de sa collection. Nous passâmes une partie de l'après-midi ensemble sans jamais évoquer la politique, passée comme présente. Lorsque nous nous revîmes, en revanche, nous pûmes échanger en profondeur sur ce qui nous avait opposés, et aussi sur les zones d'ombre qui demeuraient entre nous. J'ai alors apprécié sa franchise, son courage et une nouvelle fois son intelligence. C'est un homme que j'aurais dû mieux connaître et apprendre à mieux comprendre. Il est de ceux dont nous aurons bien besoin.

* * *

Être ministre de l'Intérieur fut le moment le plus intense de ma carrière au gouvernement. J'ai aimé, davantage qu'on ne l'imagine, diriger ces femmes et ces hommes dont l'engagement de tous les jours mérite respect et admiration. Au moment de l'alternance, nous aurons à porter une toute nouvelle politique de sécurité intérieure. Je dis bien nouvelle, car les temps ont changé, et surtout la situation s'est considérablement aggravée. Refaire à l'identique ce que nous avions engagé il y a bientôt quinze ans n'aurait guère de sens.

Quitte à déconcerter, je dirais que la première priorité sera de prendre le temps de reconsidérer de fond en comble les missions de la police et de la gendarmerie afin de les débarrasser définitivement de tout ce qui les empêche aujourd'hui de se concentrer sur l'essentiel. Ce n'est qu'une fois ce travail indispensable réalisé que l'on pourra débattre utilement de la question des effectifs. Ainsi il conviendra d'élargir sans tarder les missions de la police municipale, notamment s'agissant des problèmes de stationnement et de circulation. Il en ira de même pour les patrouilles de proximité dans la journée. Le contrôle des excès de vitesse sur les autoroutes devrait, quant à lui, relever de la compétence des sociétés concessionnaires qui, bénéficiant d'une délégation des services publics pour l'exploitation des autoroutes, pourraient voir élargir leurs responsabilités à la sécurité routière. La sécurité des tribunaux, cours d'appel, préfectures et autres bâtiments administratifs pourrait être confiée à des sociétés privées spécialement habilitées pour le faire. Et que dire des procurations aujourd'hui encore délivrées au moment des élections dans les commissariats, qui pourraient utilement être confiées aux mairies, ou des transferts de détenus qui mobilisent des dizaines de milliers d'heures de policiers et de gendarmes, alors qu'il serait pertinent d'utiliser la vidéoconférence, ou même que les magistrats se transportent sur les lieux de détention plutôt que de déplacer les détenus. La police et la gendarmerie doivent pouvoir se consacrer exclusivement à la mission régalienne de garantie de la sécurité de nos concitoyens.

Je crois pertinent en outre de proposer que le personnel pénitentiaire soit rattaché au ministère de l'Intérieur et non plus à celui de la Justice. Ainsi serait réalisée l'unité de commandement de toutes les forces de sécurité auxquelles viendraient s'ajouter les douaniers.

Je pense de surcroît que la question des effectifs d'une police moderne ne peut venir qu'après que soient résolues deux problématiques essentielles, à savoir les moyens matériels et scientifiques accordés aux forces de police et les sanctions que devraient encourir ceux qui portent atteinte à l'intégrité des forces de l'ordre. Je suis persuadé que l'avenir de notre sécurité dépend pour beaucoup du développement d'une police scientifique à l'avant-garde du progrès. L'impératif de qualité peut et doit supplanter celui de la quantité. Les moyens consacrés aux fichiers, à la vidéosurveillance, aux techniques scientifiques les plus modernes devront être décuplés. Il y va de l'efficacité de toute la chaîne policière. La question des moyens, c'est d'abord celle de voitures en bon état avec la capacité budgétaire de remplir les réservoirs, des armes avec des munitions et la possibilité d'heures d'entraînement au tir, et aussi du matériel non létal pour neutraliser les délinquants. De ce strict point de vue, la demande récente du défenseur des droits, Jacques Toubon, d'interdire le Flash-Ball est tout simplement à contresens de ce qu'il convient de faire. Veut-on laisser policiers et gendarmes désarmés, alors même qu'ils n'ont jamais été autant harcelés, et avec une telle violence ?

Il nous faudra ensuite considérablement renforcer l'arsenal des sanctions chaque fois que la moindre agression physique ou même verbale sera adressée à un membre de nos forces de sécurité. L'uniforme doit imposer le respect, et même, pourquoi ne pas le dire, une certaine crainte, et pas simplement pour les honnêtes gens. Nous sommes l'un des rares pays où, dans les voitures de patrouille, on ne trouve pas moins de trois fonctionnaires. Aux États-Unis, les policiers sont souvent seuls dans leur véhicule, et disposent d'un excellent réseau de communication qui permet d'appeler des renforts en cas de besoin.

En France, pour intervenir dans une cité, il faut déployer des moyens considérables, matériels et humains, afin de créer un rapport de force par le nombre qui épuise nos ressources budgétaires forcément limitées. Agresser les forces de l'ordre, les insulter, leur envoyer des projectiles est presque devenu un sport pour la population la plus jeune de certaines cités. Cela doit cesser. Toucher à un uniforme, c'est toucher à la République. Insulter un uniforme, c'est insulter la République. La sanction doit être certaine et lourde. Encore une fois, ce n'est pas seulement une question d'effectifs mais de symbole. Il y a des choses qu'il convient de ne plus tolérer. Le respect non négociable dû aux policiers et aux gendarmes sera un élément stratégique de la nouvelle politique de sécurité.

C'est toute la question de l'autorité qui se trouve posée de façon quasi caricaturale si la police n'est pas respectée. Comment le professeur dans sa classe, l'employé communal au guichet du bureau d'aide sociale ou la personne âgée dans les transports en commun pourraient l'être ? Aucune société ne peut fonctionner sans autorité et sans le respect dû à cette dernière. Restaurer l'autorité dans notre pays sera l'une de nos responsabilités parmi les plus difficiles et les plus urgentes. L'expression de cette volonté et les moyens qui seront mis en œuvre pour le faire constitueront le premier test de la volonté de construire une alternance digne de ce nom, et donc fidèle à ses engagements de campagne.

Enfin, la problématique de l'enfermement et de la prison devra être affrontée sans crainte et débarrassée des idées reçues si prégnantes en la matière. Mme Taubira ne cesse de nous expliquer que la prison est aujourd'hui l'école du crime. C'est partiellement exact, mais la conclusion qu'elle en tire est intégralement fausse. C'est la prison qu'il convient de changer, pas l'enfermement qu'il faut faire cesser. Le chiffre mériterait d'être davantage connu, car il fera entendre raison aux plus déraisonnables. Cinquante pour cent des crimes et des délits sont commis par 5 % des délinquants. Ils ne sont pas récidivistes, mais multirécidivistes avec 15, 20, 40 condamnations sur les fichiers de police et de justice. C'est en pensant à eux que j'avais imaginé les peines planchers. Quelle légèreté que de les avoir supprimées alors que le principe était juste et les modalités d'application simples. À un certain niveau de dérive, les délinquants ne doivent pas être punis pour leur dernier délit, mais en tenant compte de l'ensemble de leurs infractions, surtout si elles sont à ce point récurrentes. Il faut rétablir sans tarder les peines planchers, les rendre plus automatiques, et surtout plus sévères. Professer que ces récidivistes doivent rester libres parce que la société doit leur donner une nouvelle chance constitue un contresens complet. Car la « nouvelle chance » ne peut être accordée, à l'inverse, qu'après qu'un sévère coup d'arrêt de la société a été prononcé. L'enfermement joue ce rôle. Il faut donc porter tous nos efforts vers l'amélioration de la prison, plutôt que d'en supprimer ou d'en réduire le principe.

Ce fut une nouvelle incohérence des socialistes que d'arrêter le programme de construction de nouvelles places de prison que nous avions mis en œuvre. Il convient, une bonne fois pour toutes, de tordre le cou à cette idée fausse : il n'y a pas trop de gens en prison en France et il y en a proportionnellement beaucoup moins que dans la quasi-totalité des autres démocraties, États-Unis, Espagne, Grande-Bretagne... Il y a d'ailleurs une corrélation certaine entre le nombre de détenus et la diminution des actes de délinquance. Plus les premiers sont nombreux, moins les seconds sont importants. C'est quasiment mathématique : quand les multirécidivistes sont en prison, ils se voient stopper dans leur élan vers la délinquance. La construction d'un nombre important de places de prison, au moins de 25 % de plus que les quelque 50 000 actuelles, est une priorité incontournable. Ce qui ne signifie pas, dans mon esprit, qu'il faille refuser les solutions alternatives à l'enfermement que sont les bracelets, l'assignation à domicile ou la seule prison de nuit pour les délits les moins graves. Bien au contraire, mais tout délit ayant des conséquences « physiques » sur la ou les victimes justifie le principe d'une peine de prison, y compris bien sûr pour la délinquance routière. Et cette peine de prison doit être bien plus effective qu'aujourd'hui. Les Français sont légitimement choqués que les réductions de peine et la généralisation de leur aménagement aboutissent à ce qu'un condamné à cinq ans de prison voit sa peine réduite de moitié. Il est urgent, à mes yeux, de mettre fin à l'aménagement quasi systématique de peine pour les délinquants ayant été condamnés à une peine de prison de plus deux ans, et à toute réduction automatique dans l'exécution de la peine.

S'il est bien un domaine où le gouvernement peut et doit être jugé sur les résultats, c'est celui de la sécurité. En la matière, sa responsabilité est absolument exclusive. De ses discours, de son action, de ses décisions dépend la sécurité des Français. Il n'y a aucune échappatoire possible. La publication des indices et des mesures de la délinquance doit être un rendez-vous mensuel incontournable. J'avais été accusé de mettre en œuvre une « politique du chiffre », sous-entendant ainsi que je mettais une pression insupportable sur les services. Depuis l'arrivée de la gauche, c'est tout l'appareil statistique du ministère de l'Intérieur qui a été démantelé. Puisqu'il n'y a plus de statistiques, l'échec ne peut être quantifié. Il suffisait d'y penser. La statistique mensuelle que nous publiions a été remplacée par un document annuel où l'abondance d'informations rend impossible toute exploitation simple et transparente. Or les Français ont le droit de connaître la réalité objective de l'évolution de la délinquance. Je reste fasciné que ce tour de passe-passe statistique n'ait pas provoqué la moindre polémique. J'ajoute que le fait pour un ministre de l'Intérieur de mettre la pression sur ses services me semble plutôt rassurant quant à l'énergie et à la motivation dudit ministre. C'est l'inverse qui serait inquiétant, voire choquant, la mobilisation et la dynamisation des équipes de sécurité étant la première mission d'un bon ministre. Il n'y a, d'ailleurs, rien d'anormal à ce que le ministre de l'Intérieur soit désigné comme le « premier flic de France ». Dans mon esprit, ce n'est pas une insulte… Je souhaite que nous reprenions le système des primes de mérite, de récompense des résultats et de soutien à la motivation. Car, en matière de police, ces initiatives sont décisives. Motiver les équipes. Récompenser les meilleurs. Publier les résultats et les commenter pour sans cesse s'améliorer. Voilà les clés d'une politique de sécurité digne de ce nom. Enfin, s'agissant des effectifs de policiers et de gendarmes, je souhaite qu'il soit tenu compte de la particulière gravité de notre situation sécuritaire pour décider d'exonérer ces deux administrations de tout effort de réduction de dépense de personnel.

Restera à traiter l'immense question de la lutte contre le terrorisme. La situation en la matière ne cesse de se dégrader. Nous avons clairement aujourd'hui un ennemi de l'extérieur et un ennemi de l'intérieur avec la nébuleuse Internet comme passerelle entre les deux. S'agissant de l'ennemi de l'extérieur, l'État islamique, la décision de lui faire la guerre était la bonne. Mais, une fois prise, elle aurait dû être menée avec l'obsession de la victoire. Pour cela, il y fallait les moyens et la détermination. Or les deux ont fait défaut. Pour la détermination, il aurait fallu que l'un des pays de la coalition assume un leadership indispensable à la réussite de toute l'opération. Or personne ne l'a souhaité, chacun essayant de laisser à l'autre la responsabilité de régler la crise. Quant aux moyens, la question ne résidait pas dans le choix entre les forces aériennes ou les forces terrestres, comme on voudrait le faire croire à nos opinions publiques, puisqu'il n'y a pas d'efficacité possible pour nos avions sans personnel au sol capable de procéder aux relevés GPS des cibles, seul moyen efficace d'éviter les bavures. À défaut de ces deux préalables, il n'est pas étonnant que la coalition d'une vingtaine d'États se soit révélée incapable d'empêcher les assassins de l'État islamique de s'approcher à moins de cent cinquante kilomètres de Damas et, pire, de s'emparer de ce sanctuaire de la culture universelle qu'est Palmyre. En vérité, si on choisit de faire la guerre, il faut la faire totalement sans autre but que celui de l'emporter, et en outre le plus rapidement possible. Je continue de penser que l'intervention en Syrie était logique, et sans doute inévitable. En Syrie se joue une partie de notre sécurité car il s'agit de la Méditerranée, c'est-à-dire de notre proche « banlieue ».

Que la Syrie s'effondre, et c'est la violence qui se trouve importée en Europe et des millions de malheureux déplacés qui n'ont alors d'autre choix que de traverser cette petite mer large au maximum de huit cents kilomètres. Il est donc inexact autant qu'injuste de faire le parallèle avec l'Irak, l'Afghanistan ou le Koweït du début des années 1990. La paix sur tout le pourtour de la Méditerranée ne peut être qu'un enjeu majeur de notre politique extérieure. J'ai le regret de constater que, encore aujourd'hui, les moyens que nous y consacrons ainsi que notre influence sont notoirement insuffisants.

Le véritable abandon de la Libye à partir de l'été 2012 fut sans doute l'une des grandes erreurs stratégiques de la France et de ses alliés. Comment a-t-on pu à ce point mélanger les considérations politiciennes et l'avenir de ce pays dont la stabilité est cruciale ? Après l'intervention que nous avions conduite avec David Cameron et le soutien d'une cinquantaine de pays pour sauver Benghazi du massacre promis par Kadhafi, la Libye avait connu les premières élections libres de son histoire en juillet 2012. Et c'étaient les modérés qui l'avaient emporté. La communauté internationale et la France auraient dû aider la nouvelle équipe au pouvoir qui partageait nos idées et la détestation des islamistes radicaux. C'est le contraire qui s'est passé. Nous en payons le prix lourd aujourd'hui et une nouvelle intervention devra être programmée. Encore une fois, j'affirme que, de la Tunisie à la Syrie en passant par la Libye, la stabilité au sud de la Méditerranée est la condition de la paix et de la sécurité au nord. C'est-à-dire des nôtres.

Quant à l'ennemi de l'intérieur, la guerre que nous allons devoir entreprendre sera longue, complexe et difficile. Il va nous falloir revoir de fond en comble tout notre dispositif. Il s'agit d'abord, ni plus ni moins, de prendre conscience de la gravité d'une situation qui est en train de nous échapper complètement. Il n'est pas excessif d'affirmer que l'État ne la contrôle plus. Le nombre d'individus dangereux sur notre territoire est gravement sous-estimé car ils se comptent désormais par milliers. Nous sommes passés en quelques brèves années d'un problème individuel, isolé, à une nouvelle forme de délinquance terroriste disséminée dans la société, agissant en réseaux, et au nombre décuplé. Nous devons voir la vérité en face. De jeunes Français, nés en France, parlant français, ayant été éduqués dans nos écoles, en sont venus à haïr leur pays et ce qui aurait dû être leur culture. Incontrôlable, la situation l'est devenue car toutes les barrières de l'horreur sautent symboliquement les unes après les autres. Avec *Charlie*, ce fut la mise à mort de caricaturistes. Avec l'Hyper Cacher, un nouvel attentat terroriste contre la communauté juive. On croyait avoir vu le pire. C'était sans compter l'illuminé de l'Isère qui a décapité son employeur. Une décapitation sur le territoire français ! Il serait irresponsable de sous-estimer la force de ces tabous renversés. Le tout-venant après l'ignominie que fut l'assassinat des enfants de l'école Ozar Hatorah de Toulouse et avant le drame du Bataclan et des terrasses de café en plein Paris qui ont fait 130 victimes. Et chacun redoute désormais la prochaine tragédie.

La réponse de la République doit maintenant être à la hauteur des défis qui nous sont imposés par la barbarie. Il n'est plus possible de biaiser, d'hésiter, de reculer le moment des décisions à prendre. Nous sommes, que cela plaise ou non, face à une guerre contre la civilisation que nous représentons. Nous affrontons un ennemi que nous avons le devoir de nommer : l'État islamique et tous ceux qui veulent tuer au nom d'un islam dévoyé. C'est la première fois sans doute dans l'histoire de l'humanité qu'une société vit ainsi son Moyen Âge après avoir connu sa Renaissance. Or, de toute éternité, ce fut l'inverse. Aucune faiblesse ne nous sera permise. Le choc est désormais frontal, la barbarie opposée à la civilisation. La fermeté est la seule stratégie possible pour, d'abord, stopper ces dérives folles, puis les éradiquer de la surface de la planète. Il ne peut y avoir de coexistence entre les forces de la mort et celles de la vie. Cela signifie clairement que la tolérance zéro est la seule issue, *a fortiori* sur le territoire national. Toute consultation régulière de sites Internet djihadistes doit maintenant être considérée comme une activité terroriste et punie comme telle. Toute participation au djihad doit être sanctionnée par une lourde peine de prison suivie dès la sortie par un passage dans un centre de déradicalisation dont le terme ne sera envisageable qu'une fois cette déradicalisation aboutie. Tout djihadiste binational doit se voir retirer définitivement sa nationalité française et renvoyé dans son pays d'origine. Quant aux suspects de connivence avec des activités terroristes, il conviendra d'appliquer pour eux un principe de précaution qui comportera des obligations de pointages réguliers auprès du commissariat de police le plus proche pour justifier de leur adresse, de leurs revenus, de leurs activités et, si nécessaire, le port d'un bracelet électronique pour que la surveillance soit encore renforcée.

La question de l'islam devra être traitée en profondeur, sans amalgame bien sûr, mais sans hypocrisie non plus. Il est évident en effet qu'aucun raccourci entre l'islam et le terrorisme ne peut être toléré. Il serait inacceptable, au nom même des convictions démocratiques qui sont les nôtres, de réduire les musulmans de France aux dérives d'une minorité. L'islam est devenu la deuxième religion de France. La laïcité reconnaît à chacun le droit de vivre sa foi et de la transmettre à ses enfants. Ce principe ne peut supporter la moindre restriction. Mais, à l'inverse, l'islam de France et les musulmans français croyants doivent assumer leurs responsabilités. Le combat contre la barbarie ne les concerne pas davantage, mais pas moins non plus que les autres. Ils doivent mener le combat pour un islam pleinement inséré dans la République. S'ils ne le font pas pour eux-mêmes, personne ne pourra le faire à leur place. Ils ne peuvent tolérer des imams dont les prêches seraient contraires aux valeurs de la République. Tout imam en contradiction avec cette règle républicaine devra être expulsé s'il est étranger ou interdit des mosquées françaises. Les mosquées au sein desquelles des propos contre la France et contre les règles de la République seraient tenus devront être fermées sans délai. Toutes les dérives communautaristes doivent être prohibées. Tout signe ostensible d'appartenance à une religion doit être interdit, non seulement aux guichets de nos administrations mais aussi dans les collèges, les lycées et les universités. La question n'est pas de se focaliser sur un morceau de tissu. Elle est de prendre en compte les dérives chaque jour grandissantes auxquelles nous assistons. Tant que ces attitudes étaient ultra-minoritaires, je comprenais et partageais une certaine souplesse plus respectueuse de la liberté de chacun. Mais à partir du moment où elles se multiplient comme autant de provocations, où elles constituent une pression inacceptable sur des jeunes filles musulmanes pouvant être stigmatisées – un comble –, parce qu'elles ne se plient pas à un code vestimentaire prétendument religieux, ces comportements deviennent inacceptables. L'interdiction pour tous est la seule stratégie qui permettra de sauvegarder le choix de chacun. Il en va de même pour les menus à la cantine de nos établissements scolaires. L'argument sympathique et même raisonnable des menus de substitution ou des menus végétariens, en période « normale », devient un prétexte pour refuser de voir la vérité en face en période de tension. Et nous sommes dans cette période. Car la dérive sera sans fin si nous n'avons pas le courage d'y mettre un terme maintenant. On tolère le voile à l'université. On ne sert pas de porc à certains enfants. Quelle sera la prochaine étape ? Quelle sera la prochaine exigence ? Chaque fois, il s'agira d'une entorse un peu plus grave à nos principes républicains. La faiblesse n'a pas de limites, pas de barrière.

La question est : quelle France voulons-nous ? Dans mon esprit, c'est clair, nous voulons une France qui assimile les différences mais qui garde sa langue, sa culture, son identité, ses territoires, son mode de vie. Je ne souhaite pas une multiplication de France vivant côte à côte, s'ignorant d'abord, s'affrontant ensuite. C'est pour cela qu'il convient de réaffirmer l'identité française, tout simplement parce que nous ne voulons pas qu'elle disparaisse. Sans identité, aucune diversité n'est possible puisque alors il n'y a plus rien à partager. C'est aux derniers arrivés de s'adapter aux usages de ceux qui les précèdent. Il n'y a là rien de choquant. Bien au contraire, car en agissant ainsi la République contiendra puis réduira les forces de l'exclusion et du repliement, si étrangères à notre histoire et à notre culture. Réaffirmer nos principes ne stigmatisera personne. Faire appliquer la règle commune n'exclura personne. En période de si fortes oppositions, la volonté inébranlable de la République apaisera chacun, le persuadant que l'effort demandé est le même pour tous et qu'il est donc juste.

La manière dont les socialistes instrumentalisèrent en 2012 le vote musulman restera sans doute dans les annales. Tous les réseaux politiques et associatifs se mobilisèrent alors pour communautariser le vote des banlieues. On était bien loin des déclarations enflammées sur la République et sur la laïcité. Je dois reconnaître que cela a fonctionné avec une efficacité redoutable. Malheureusement pour les instigateurs de cette manœuvre, il y a toujours un moment où il convient de régler la note. Et celle-ci promet d'être élevée lors de la prochaine élection présidentielle, tant les musulmans de France ont eu le sentiment justifié de s'être fait berner. Il y avait en effet de quoi… puisque les mensonges de la gauche ont été mis au jour au moins en trois occasions. La première porta sur la question des banlieues. Après avoir entendu les dirigeants promettre monts et merveilles, chacun peut aujourd'hui constater, plus de trois années et demie après leur arrivée au pouvoir, que rien, strictement rien, n'a été mis en œuvre en la matière. Bien pire, les différents plans pour la ville que Jacques Chirac puis moi avions développés par l'intermédiaire de Jean-Louis Borloo pour la somme colossale de 40 milliards d'euros ont été largement arrêtés. L'effort sans précédent que la droite au pouvoir a déployé en rénovation d'immeubles, en construction de lignes de métro ou de bus, en installation de multiples services publics en périphérie de nos villes, a été stoppé. Comme si la gauche se satisfaisait de la paupérisation des banlieues et d'une stratégie de peuplement au service d'objectifs politiques.

Le deuxième mensonge se manifesta dans le mépris affiché par nombre de dirigeants actuels sur la question religieuse. François Hollande alla même jusqu'à affirmer il y a quelques années qu'« à ses yeux Dieu est une facilité ». Pour le Président d'un grand pays aux racines chrétiennes, l'aveu n'est rien de moins que stupéfiant. Je suis bien convaincu que les religions doivent rester dans le domaine du spirituel et du privé, et qu'elles n'ont rien à faire avec le temporel. Mais on ne peut nier l'influence des trois grandes religions du Livre dans la civilisation, dans l'art et dans la culture universelle. Cela doit susciter au minimum du respect, à défaut de l'intérêt. On ne voit pas en quoi la foi serait contradictoire avec la République.

Un homme ou une femme qui espère en Dieu et en sa miséricorde doit être respecté. Peut-on demander que notre société qui professe bruyamment la nécessaire attention à toutes les différences minoritaires fasse preuve de la même compréhension à l'endroit par exemple de la majorité chrétienne qui ne met en danger aucune de nos institutions ? J'ajouterai qu'il me semble particulièrement injuste qu'il soit fait aujourd'hui un amalgame entre toutes les religions, comme si elles étaient également responsables de la situation actuelle. Or c'est faux. Car à ma connaissance ce ne sont pas les chrétiens d'Orient qui persécutent, mais eux qui sont aujourd'hui victimes d'un génocide dans des conditions particulièrement abominables. Les appels à la haine et au djihad n'émanent d'aucune synagogue à travers le monde. Les protestants ne demandent l'exclusion de personne dans les sociétés occidentales. Le pape François parcourt le monde en professant l'amour, la justice et la paix. Affirmer que les religions représentent un danger constitue un amalgame assez scandaleux et qui ne correspond à aucune réalité. Dire que les tensions viennent d'un islam dévoyé ne relève d'aucune islamophobie, mais d'une lucidité dont on ne peut plus faire l'économie.

Le troisième mensonge consista à présenter la droite républicaine en général et moi en particulier comme islamophobes. Le procès était doublement stupide. Sur le fond d'abord, car les valeurs de travail, d'énergie, de mérite et d'autorité que nous portons sont spontanément plus en résonance avec nos compatriotes originaires d'Afrique du Nord qu'avec beaucoup d'autres. Ensuite parce que s'il existe aujourd'hui une représentation nationale de l'islam, c'est que je l'ai voulue et que je l'ai imposée. Dès mon arrivée au ministère de l'Intérieur en 2002, je m'y suis engagé de toutes mes forces, convaincu de son importance pour l'unité de la communauté nationale. Quelles que soient les faiblesses du Conseil français du culte musulman, il existe depuis maintenant douze ans. Personne ne l'avait réussi avant. Personne ne fit mieux après. Et le CFCM a été bien utile pour l'émergence d'un islam de France. Si je n'étais pas convaincu de l'apport des musulmans de France, si j'avais sous-estimé le rôle de l'islam de France, me serais-je impliqué comme jamais aucun autre responsable politique national ne l'avait fait ? Poser la question, c'est déjà y répondre. Et c'est justement parce que je respecte les musulmans de France que j'ai toujours choisi de leur parler avec sincérité. Ce fut ma façon de les considérer. Ne pas leur mentir. Ainsi, en 2003, au moment de Pâques, je suis intervenu au congrès de l'UOIF pour affirmer que, ministre de l'Intérieur, je n'accepterai jamais le voile sur les photographies de cartes d'identité. J'essuyai alors de copieux sifflets. Mes rapports furent parfois rugueux avec les principaux dirigeants de l'islam de France, la difficulté des problèmes l'exigeait, mais il y eut toujours, de part et d'autre, du respect et de l'amitié. La confiance se bâtit sur le temps long. Pas sur celui d'une campagne électorale. Chacun peut désormais se faire une idée précise de l'endroit où se trouve la vérité et de celui où se trouve le mensonge. Sur ces sujets au moins, j'ai peu de regrets à formuler, et encore moins d'erreurs à constater. Un immense travail reste à accomplir, mais la vérité oblige à dire que les bases en ont été posées par nous à l'exclusion de toutes les autres forces politiques. La République devra exiger de l'islam de France un effort d'adaptation et d'intégration de la même nature que celui qui fut imposé aux catholiques au début du XXe siècle. Il n'y aura pas d'alternative, c'est maintenant à l'islam de s'adapter, car la République ne peut en aucun cas reculer.

* * *

Quand survint la crise russo-géorgienne de 2008, j'étais tout à la fois président de la République et président en exercice de l'Union européenne. Cette dernière fonction prédispose habituellement à l'immobilisme. Elle ne s'exerce que pour six mois, durant lesquels le titulaire essaie, autant que faire se peut, d'éviter les problèmes avant de vite passer le relais au Président du pays suivant. Quant à y faire quelque chose, personne de raisonnable ne l'imaginait, tellement, à 28 pays, les voix discordantes s'entremêlent pour retarder toute décision un tant soit peu audacieuse. Le système est d'ailleurs construit et organisé de manière à ce que personne n'ait la force et la possibilité de décider.

Pour mes premiers pas sur la scène internationale en tant que président de l'Union européenne, j'eus d'abord à traiter de la question des jeux Olympiques de Pékin. La moitié des chefs d'État européens penchaient pour le boycott, et en conséquence me demandaient de ne pas m'y rendre. Il est certain que la Chine a un problème avec notre conception des Droits de l'homme. Mais boycotter le quart de l'humanité me semblait aussi déraisonnable qu'inutile. Déraisonnable parce que l'absence du président de l'Europe aurait été ressentie par les Chinois comme une humiliation. Inutile parce que notre absence à la cérémonie d'ouverture des JO n'aurait en rien fait avancer la cause des Droits de l'homme. Au contraire, la présence du monde entier à Pékin pour cet événement planétaire ne pouvait qu'être bénéfique dans la stratégie d'ouverture de la Chine vers l'extérieur. Il peut être légitime de craindre la Chine, mais vouloir faire sans elle n'aurait aucun sens. À tout cela s'ajoutait que j'aurais trouvé particulièrement déloyal vis-à-vis du mouvement sportif que nous les incitions à participer aux épreuves pendant que les politiques renonçaient à s'y rendre. C'eût été une instrumentalisation politique du sport à laquelle je me suis toujours refusé et que je refuserai toujours. Le sport n'est ni de gauche ni de droite. Il n'est ni dans la majorité ni dans l'opposition. Il n'est ni du Nord ni du Sud puisqu'il a vocation à être universel. Le sport permet à des millions de gens de rêver, de vibrer, de se dépenser, de s'extraire des soucis du quotidien. Le sport est important pour l'équilibre de nos sociétés modernes. Le sport est irremplaçable. C'est pour toutes ces raisons qu'il doit, à toute force, être préservé des enjeux partisans et politiques.

En dépit de l'opposition de nombre de mes pairs européens, je me rendis avec conviction à la cérémonie d'ouverture des jeux Olympiques à Pékin. Je ne l'ai pas regretté. Ce soir-là, j'ai pu participer à l'un des spectacles les plus impressionnants auxquels il m'ait été donné d'assister. J'ai vu ce que pouvaient réaliser la puissance, la finesse et l'imagination de la Chine. J'étais à proprement parler suffoqué par les empreintes lumineuses des pieds du géant dans le ciel de Pékin, s'approchant de ce stade en forme de nid d'oiseau. Puis, tout à coup, nous sortîmes de l'obscurité pour nous retrouver baignant dans un océan de lumières au son de milliers de tambours frappés en cadence par des jeunes Chinois. Le stade était enthousiaste, impressionné, et même ému par la force et la poésie de ce qui nous était donné à voir. En un instant, chacun a compris ce que représentait l'alliance d'une histoire millénaire avec le désir de modernité insatiable. À ce moment précis, la Chine avait réussi à être fidèle à son identité de toujours tout en s'inscrivant dans l'universalisme du XXIe siècle. Ce fut un moment inoubliable.

Dans le Stade olympique de Pékin, il y avait une large pièce en retrait de la tribune officielle où je me trouvais. Il était possible pour les chefs d'État présents de se restaurer et de se rafraîchir. Au moment où je me dirigeai vers cette salle, mon conseiller diplomatique, Jean-David Levitte, m'informa que l'armée russe était sur le point de pénétrer en Géorgie. L'éternelle question du Caucase qui a, de toute éternité, préoccupé l'Empire russe était en train de revenir au premier plan. Vladimir Poutine était lui aussi à la cérémonie. Nous entrâmes quasi simultanément dans ce salon improvisé. Poutine me tendit la main chaleureusement. Nos rapports ont toujours été cordiaux. Je ne suis pas un de ses intimes, mais je confesse apprécier sa franchise, son calme, son autorité. Et puis il est tellement russe !

Quiconque a un peu lu Tolstoï, Dostoïevski, Gogol et tant d'autres retrouve dans Poutine les lignes de force de l'âme russe. Un patriotisme irrédentiste, un rapport charnel à l'Église orthodoxe, une sensibilité profonde qui peut vite tourner à la susceptibilité, un attachement à l'autorité, au chef, à la hiérarchie. C'est un homme avec qui on peut avoir des désaccords, et j'en ai, mais avec qui il est toujours possible de parler franchement, sans précautions excessives, à la condition qu'il soit en confiance. Manquez à votre parole, trahissez la confidentialité des entretiens, faites pression de l'extérieur sur lui et c'est alors la certitude qu'il se refermera et que le dialogue sera rompu. C'est à cette aune qu'il faut comprendre combien le refus de livrer les Mistral fut une profonde erreur. Étant toujours dans le stade, j'avais peu d'informations sur l'évolution de la situation géorgienne. Je demandai cependant à Vladimir Poutine de ne surtout pas brusquer les choses. De prendre le temps afin que nous puissions en discuter. Sa réponse fut dépourvue d'ambiguïté. « Je ne supporte plus les provocations de Saakachvili. Il veut la guerre. Il l'aura ! » Il est vrai que, pour des raisons de politique intérieure, le Président géorgien avait agi bien maladroitement. Mal lui en avait pris, l'Abkhazie et l'Ossétie revêtant pour les deux voisins l'importance de l'Alsace et la Lorraine pour la France durant la première moitié du XXe siècle. La réponse russe ne s'était pas fait attendre.

Du cap Nègre, où j'étais rentré directement de Pékin puisque nous étions au début du mois d'août, je me décidai à appeler Dmitri Medvedev, alors chef de l'État russe. Il était plus calme, mais tout aussi déterminé que son « Premier ministre Poutine ». Je savais que c'était ce dernier qui était l'homme fort du régime, mais je ne voulais en aucun cas donner le sentiment au Président russe que nous voulions lui passer par-dessus la tête. La susceptibilité russe doit être respectée… Au cours de notre discussion, je ne remis pas en cause la « provocation géorgienne », mais je le mis fermement en garde : « Cette invasion donne une image déplorable de la Russie alors que vous faites tout pour la moderniser. Vous vous présentez en Président ouvert et accessible, et vous couvrez des méthodes d'un autre temps, celui de la dictature communiste ! » Je sentais sa grande réticence, cependant il écoutait et laissait la conversation se prolonger. Je finis par lui proposer de venir à Moscou en tant que président en exercice de l'Union européenne pour essayer de trouver une solution, puis je lui annonçai que j'avais l'intention ensuite de me rendre à Tbilissi. Je lui précisai enfin : « Je ne vous critiquerai pas. Je viendrai en ami. Je ne ferai aucun commentaire à la presse. Je ne demande qu'une seule chose : qu'au moment où les roues de l'avion français toucheront le tarmac de l'aéroport de Moscou, les chars russes devront arrêter leur progression. » Après un temps de réflexion et un nouvel appel téléphonique, Medvedev en prit l'engagement. À ce moment-là, ma propre équipe diplomatique était divisée. Certains, craignant le piège, me conseillaient de ne pas me rendre à Moscou, d'autres au contraire m'appelaient à faire confiance à mon interlocuteur. Je tranchai pour ces derniers. Mais, à bien y réfléchir, les risques étaient faibles. Si Medvedev manquait à sa parole, j'étais bien décidé à quitter Moscou séance tenante.

Et, de fait, Dmitri Medvedev tint sa promesse puisque quinze minutes avant notre atterrissage l'aide de camp m'apporta une dépêche annonçant que les chars russes s'étaient immobilisés à quarante kilomètres de Tbilissi. Le soulagement fut immédiat dans l'avion présidentiel. Restait cependant à obtenir l'essentiel. Après l'arrêt, le retrait. En arrivant au Kremlin, Dmitri Medvedev me demanda si j'étais d'accord pour que Vladimir Poutine se joigne à nous pendant le déjeuner. Bien sûr, non seulement je n'y voyais aucun inconvénient, mais j'étais certain de pouvoir ainsi m'adresser à « la réalité » du pouvoir russe. Lorsque Poutine nous rejoignit, je vis tout de suite que quelque chose n'allait pas. Sa joue était très enflée. Lui-même me précisa qu'il sortait des mains de son dentiste à la suite d'une violente rage de dents. Je ne tardai pas à m'apercevoir que cela influait fortement sur son humeur, qui était noire. Il prit immédiatement la parole sans que personne à table puisse l'interrompre pendant quinze bonnes minutes. Il exprimait une grande fureur à l'endroit du président Saakachvili. Chaque fois qu'il prononçait son nom, il allait même jusqu'à faire un signe de croix. Emporté par son élan, il me reprocha de soutenir George Bush qui avait fait pendre Saddam Hussein, et de m'opposer à lui qui voulait se débarrasser d'un Président « aussi infréquentable » que l'était le chef de l'État géorgien. Je profitai d'une interruption momentanée dans ce flot ininterrompu pour préciser à mon interlocuteur que je n'étais pas venu pour me faire donner la leçon mais pour essayer de trouver un compromis, que, cela se révélant impossible, j'allais reprendre mon avion en attendant que sa colère s'apaise. Que pour le prix de l'Ossétie, il risquait de ruiner des années d'efforts pour respectabiliser la Russie. Qu'il s'agissait d'un formidable gâchis et que, enfin, quelle que soit mon amitié pour son pays et pour lui, je ne pouvais accepter que devant moi on évoque l'idée de se débarrasser du chef d'un État membre des Nations unies. Je joignis le geste à la parole en me levant de table et en me retirant de la pièce. Je vis immédiatement la stupéfaction de Vladimir Poutine qui s'apaisa et me demanda de rester afin de poursuivre la discussion. Ce que nous fîmes, jusqu'à parvenir à l'accord sur le retrait des troupes russes sur les frontières de l'Ossétie et de l'Abkhazie, et non sur celles de la Géorgie. Mais c'était un moindre mal, qui permettait au moins de sauver l'indépendance du pays et d'éviter une nouvelle guerre.

Quelques heures plus tard, j'étais à Tbilissi dans le bureau du Président géorgien où se tenaient en pleine nuit le Président polonais et celui de Lituanie. Je n'eus aucun mal à convaincre mon interlocuteur d'accepter l'accord de Moscou qui lui permettait de sauver la face et son pays. Mais je refusai obstinément de m'adresser à la foule considérable massée devant la présidence afin de ne pas froisser les Russes. En moins d'une semaine, nous n'avions sans doute pas réglé complètement la crise russo-géorgienne, mais nous l'avions en tout cas apaisée.

Aujourd'hui encore, je me demande pourquoi on n'a pas pris de telles initiatives avec une célérité identique

pour traiter de la question de l'Ukraine. Jamais le
monde n'aurait dû arriver à un tel niveau de blocage
et d'incompréhension. Contrairement à ce qui se dit
habituellement, plus le temps passe et moins il est
aisé de trouver une sortie à la crise, car sur le terrain
les mauvaises habitudes se prennent vite. Il n'y a pas
d'autre choix pour l'Europe et la Russie que de se parler, de se comprendre, de travailler ensemble. Il est
irresponsable de créer les conditions d'une nouvelle
guerre froide vingt-six ans après la chute du Mur de
Berlin. Dans ce conflit, la première erreur consista à ne
prendre aucune initiative en Europe pour parler aux
deux protagonistes dès le début de la crise. La réplique
de mon successeur en mai 2014 sur cette question
demeurera dans les annales de l'impuissance diplomatique : « J'ai eu un rapport indirect avec Vladimir
Poutine ! » nous assura-t-il. Quel rapport ? Pourquoi
indirects ? Pour quels résultats ? La deuxième erreur
fut du côté de Poutine : une fois réglée la question
de la Crimée, il aurait dû faire pression sur les sépa-
ratistes ukrainiens pour qu'ils se calment. La troisième
erreur fut, pour le nouveau gouvernement ukrainien,
d'annoncer publiquement qu'il abandonnait le russe
comme langue officielle alors qu'il y a environ 8 millions de russophones dans le pays. La quatrième erreur
fut pour l'Europe de faire croire à l'Ukraine qu'elle y
avait sa place. Or l'Ukraine de 42 millions d'habitants
est tout à la fois européenne et russophone. Elle est
donc un pont, un trait d'union entre l'Europe et la
Russie. La pousser à choisir un camp contre l'autre,
c'est prendre le risque certain de l'éclatement. À l'inverse, ce pays doit avoir d'excellentes relations tout

à la fois avec l'Europe et avec la Russie. C'est dans ces conditions et à la suite de ces erreurs cumulées que la situation dégénéra. Pour finir, il n'y eut pratiquement que des perdants. D'abord la France, qui refusa de tenir sa parole sur la livraison des Mistral. Cette rétractation coûtera plus de 1 milliard d'euros aux contribuables français. Ensuite les éleveurs français qui se retrouvent aujourd'hui encore victimes d'un embargo russe catastrophique pour notre élevage. La communauté internationale qui, durant des mois, s'est privée de l'aide de la Russie qui aurait été bien utile dans la résolution du conflit syrien. Et enfin toute l'Europe qui subit une nouvelle guerre froide qui ne veut pas dire son nom. On ne pouvait imaginer pire conjonctions pour le seul refus d'assumer le risque d'un leadership qui aurait permis d'éviter nombre de ces catastrophes. Souvent, on a plus d'ennuis à refuser de traiter les problèmes plutôt qu'à les affronter.

* * *

Il n'est pas dans mon propos de raconter dans le détail la crise économique internationale à laquelle nous dûmes faire face entre 2008 et 2010, mais d'essayer d'en tirer des enseignements utiles pour l'avenir. Jamais l'économie mondiale ne fut à ce point proche de l'effondrement. Absolument tous les pays sur tous les continents et dans tous les secteurs furent touchés. Jamais, même en 1929, on n'avait observé un tel cataclysme.

Tout commença par une immense erreur d'appréciation du secrétaire au Trésor américain Henry Paulson.

Arrogant, sûr de ses compétences d'ancien banquier, imperméable au moindre doute, c'est cet homme qui, en septembre 2008, mit le feu aux poudres en déclarant fièrement qu'il n'était pas question de sauver la banque Lehman Brothers dont les dirigeants étaient de « mauvais banquiers ». En quelques jours, c'en était fini de la cinquième banque américaine créée en 1850 et qui avait survécu à la Grande Dépression des années 1930, et en quelques semaines, c'était tout le système financier mondial qui s'effondrait. Partout dans le monde, la confiance était rompue. L'économie était arrêtée. Un peu comme un corps qui se vide de son sang, la finance ne finançait plus aucun projet. Des dizaines de millions de chômeurs venaient s'additionner à tous ceux déjà existant. Personne ne contrôlait plus rien. Ni les banquiers centraux, ni les chefs d'État, ni les économistes, ni les fonds d'investissement, ni les institutions internationales... Le monde avait perdu toute forme de boussole, tout repère, comme vitrifié par la violence d'une situation inconnue de tous. Alors que les dix années précédentes avaient vu le triomphe de la titrisation et des bulles spéculatives, la crise empêchait désormais chacun d'accéder à des marchés financiers qui ne fonctionnaient plus. À un excès de dette succédait une impossibilité d'emprunter. Les vieilles méthodes et les anciennes grilles de lecture n'étaient d'aucune utilité face à la nouveauté et à l'étrangeté de la crise que nous vivions.

Les flux financiers s'étaient asséchés, l'argent disponible avait disparu, plus rien dans l'économie ne fonctionnait. Le marché mondial s'était installé sans que la moindre règle ou gouvernance internationale ait eu le temps d'émerger. L'absence totale de régulation autorisa tous les excès financiers. Il fallait bien qu'un jour cela finisse par éclater. L'étincelle Paulson fut le détonateur.

Toujours président en exercice de l'Union européenne, il me fallait tenter d'organiser la réaction, au moins de notre continent, en convoquant le dimanche 12 octobre 2008 à l'Élysée, pour la première fois depuis neuf ans que l'euro existait, un sommet de la zone euro au niveau des chefs d'État et de gouvernement, et en adoptant le plan européen de sauvetage des banques, qui a servi de modèle au reste du monde, notamment aux États-Unis. Cependant, la crise venant des États-Unis, il était impossible de le faire sans eux. Je décidai donc de convaincre le président des États-Unis, George Bush, de prendre l'initiative de la contre-offensive. Il était à Camp David alors même que je présidais le Sommet de la francophonie à Québec. Il m'invita à le rejoindre. Je demandai au président de la Commission européenne de m'accompagner. À peine entré dans l'avion, il me confia en riant à moitié : « Heureusement que ton mandat à la tête de l'Europe ne dure que six mois, car depuis que tu es là on doit travailler tous les week-ends ! » Et de fait nous atterrîmes un dimanche dans le lieu de villégiature des Présidents américains. J'étais curieux de découvrir cet endroit mythique que j'avais tant de fois aperçu à la télévision. Nous nous posâmes en hélicoptère au milieu d'un large espace boisé de cinquante hectares, ombragé d'arbres magnifiques. George Bush nous attendait en jean et blouson, comme il se doit pour un Président américain digne de ce nom. Nous montâmes dans une voiture de golf qu'il conduisit lui-même. Nous arrivâmes à une jolie maison d'un étage en bois, au milieu de ce que je pris pour une forêt. Autour du Président américain se trouvaient Paulson, dans un tel état d'abattement qu'il ne dit pratiquement pas un mot, et Condoleezza Rice, toujours aussi vive et combative. George Bush avait avec elle une proximité et une confiance quasi filiale qui ne cessait de m'impressionner. Mme Bush était une hôte attentionnée, chaleureuse et visiblement inquiète pour son mari. Le Président était sonné comme jamais je ne l'avais vu auparavant. Il est vrai que pour lui la situation était cauchemardesque. Dans son pays, il n'y en avait que pour Obama qui « marchait sur l'eau » tant la presse était laudative. Dans le monde, la situation était la même pour celui qui allait devenir le premier Président noir des États-Unis. La crise était imputée au Président sortant, et même le candidat des républicains John McCain ne voulait pas paraître à ses côtés. On pouvait difficilement imaginer pire comme fin de mandat. Bien sûr, il y avait des raisons à cela : ses mensonges à propos de l'Irak, une certaine arrogance, un manque de finesse et d'appétence pour les discours conceptuels. Malgré tout, je l'aimais bien. Son charisme était indéniable. Il est beaucoup plus cultivé qu'on ne le croit. Ainsi il a lu Camus dont il est possible d'évoquer, avec lui, l'œuvre. Et puis il est du Texas. Il aime les plats simples, la nature, la pêche, la vie sous tous ses aspects sauf les mondanités qu'il détestait. Le jour de notre rencontre, je le trouvai complètement abattu, sans réaction, enfoncé dans son fauteuil. Notre réunion dura près de trois heures. Je voulais le convaincre qu'il fallait réunir en urgence, et à Washington, les représentants des plus grandes économies du monde pour tenter de coordonner leurs politiques économiques, essayer de peser sur le cours des événements et commencer à réguler la finance mondiale qui en avait grand besoin. George Bush était, de prime abord, réticent. Le principe même d'une régulation n'est guère dans l'ADN des Américains, républicains surtout, mais aussi démocrates. Par-dessus tout, il craignait comme la peste de se trouver en position d'accusé. Je lui vantai les mérites d'une réunion à 14, c'est-à-dire le G8 plus le G5 des grands pays émergents auxquels s'ajouterait un pays arabe qui pouvait être l'Arabie Saoudite ou l'Égypte. De guerre lasse, il finit par accepter le principe d'une réunion à Washington, mais à condition que nous fussions 20 et pas 14. Il voulait que soient ajoutés à la liste des invités les alliés traditionnels des États-Unis qu'ont toujours été l'Australie, la Turquie, l'Arabie Saoudite, la Corée du Sud, le Mexique et l'Argentine. C'est ainsi que naquit le G20 qui, depuis 2008, gère les grandes questions économiques mondiales. Ses premières décisions tenant à la relance économique coordonnée au niveau mondial, à la lutte contre les paradis fiscaux, à la régulation financière notamment des hedge funds, aux capitaux propres nécessaires pour les banques, permirent au monde de repartir de l'avant.

L'interdépendance de toutes nos économies rendait indispensable cet effort de coordination. Chacun peut aisément comprendre qu'il est plus efficace de tirer tous dans le même sens que d'annihiler les efforts de tous par les incohérences de chacun. La réunion de Washington fut un premier pas utile et salutaire. Le G20 fit ses preuves et permit d'éviter que nous ne tombions dans le précipice. Il faudra beaucoup d'autres efforts afin de mettre en place, non une gouvernance mondiale qui ne serait pas acceptée, mais au moins une coordination mondiale, qui ne peut être le fait des Nations unies empêchées par leur règle de vote à l'unanimité et les intérêts si contradictoires des 200 pays membres. À l'avenir, s'il veut garder son leadership et sa légitimité, le G20 devra accepter d'évoluer en prenant ses décisions à la majorité, fût-elle qualifiée, ou il se condamnera à l'impuissance.

La vérité de la crise 2008-2010, c'est que tout le système financier a été complice. La titrisation à outrance a brouillé l'analyse. Le mensonge s'est propagé. On a fait croire au monde entier qu'il était possible de faire des bénéfices en vendant de la dette. Comment a pu s'imposer l'idée contenue dans le calcul « dette + dette = bénéfices » ? Toute cette construction était faite de sable. Produits ultra-complexes, bénéfices fictifs, déficits masqués... La consanguinité du système est l'un de ses défauts majeurs. La maladie contractée par l'un des acteurs se propage aussitôt chez les autres. Si un mur cède, le reste de la maison s'écroule. Je l'ai constaté lorsque, une nuit à 3 h 30 du matin durant cette période, le téléphone a sonné. Au bout du fil, il y avait Xavier Musca : « Monsieur le Président, il faut prendre une décision avant 7 heures ce matin, celle de racheter Dexia pour 6,4 milliards d'euros avant que les Bourses asiatiques ouvrent ! » Cette banque née de l'alliance entre le Crédit local de France et le Crédit communal de Belgique était en péril et menaçait de provoquer une catastrophe systémique. Nous avions l'impression d'injecter de l'air dans un pneu qui se dégonfle ! Il en allait pourtant de rien de moins que la sauvegarde de l'épargne des Français qui pouvaient tout perdre. Et qui grâce à notre action collective n'ont rien perdu.

* * *

Durant cette période, j'ai découvert avec consternation que, avant la réunion à l'Élysée en 2008 des chefs d'État et de gouvernement de la zone euro, jamais ils ne s'étaient réunis. Autant dire que le pilotage politique des économies de la zone euro n'existait pas. Jean-Claude Trichet définissait une politique monétaire. Les ministres des Finances réfléchissaient à des objectifs budgétaires. Quant à la stratégie économique, elle n'était en fait de la responsabilité de personne. Avec les résultats que l'on a pu constater... Européen je suis. Européen je resterai. Je crois sincèrement que renoncer à la construction européenne serait une pure folie. Notre continent est trop instable. Les jalousies et les compétitions nationales trop vives. La concurrence internationale trop forte pour nous permettre d'abandonner si peu que ce soit le projet européen. Mais ce serait une folie tout aussi lourde de conséquences que de continuer comme s'il ne s'était rien passé. Or il s'est passé beaucoup de choses. La crise de 2008-2010. L'effondrement de la Grèce. L'Union désormais composée de 28 membres. La montée des

extrêmes partout sur notre continent. La croissance
européenne en berne... Le premier changement stratégique qu'il nous faut considérer, c'est qu'il n'y a plus
« une » mais « deux » Europe. Il y a la zone euro
composée de 19 pays et l'Union qui en compte 28
– et certainement davantage dans le futur avec l'arrivée
probable des pays des Balkans. La zone euro doit s'au-
tonomiser en se dotant d'un véritable gouvernement
économique digne de ce nom qui pour être crédible
ne pourra être présidé que par un membre des cinq
grands pays de la zone, de préférence un Français ou
un Allemand. Je rappelle que ces deux nations pèsent
à elles seules 50 % du PIB de la zone euro. Ce qui
nous crée bien davantage que des droits, des responsabilités. Seul ce gouvernement composé des chefs
d'État et de gouvernement pourra engager une véritable coordination économique et aura la légitimité
pour discuter avec la Banque centrale de la politique
monétaire adaptée à la situation. Je reste convaincu
que la croissance (et donc l'emploi) doit être la priorité de la Banque centrale européenne, davantage que
la lutte contre une inflation qui n'existe plus, notamment du fait de la concurrence mondiale effrénée, et
dans le même temps qu'il faut créer un Fonds monétaire européen à la place du mécanisme insuffisant
existant aujourd'hui.

Pour l'Europe des 28, nous n'aurons pas d'autre choix
que de revoir, dans un mouvement drastique de diminution, les compétences communautaires. L'Europe s'est
embolisée. Il faut renoncer à 50 % de la production
législative européenne pour redonner une lisibilité au
projet européen. Mieux vaudra pour l'avenir regrouper

les compétences européennes autour d'une petite dizaine de priorités fortes et stratégiques comme l'industrie, l'agriculture, le commerce, la concurrence, la recherche..., et abandonner sans états d'âme les centaines de directives portant sur la circonférence des œufs, la taille des fraises ou l'âge à partir duquel un apprenti peut monter sur une échelle. Nous ne sommes plus 6 en Europe mais 28. Le nombre accroît la diversité des situations et impose donc une plus grande souplesse. Ce mouvement de recentrage des priorités européennes nous permettrait en outre de régler la question du référendum anglais. Car ce serait un drame pour l'Europe que de perdre la deuxième de ses économies, aujourd'hui la plus dynamique. Comme ce serait un drame pour la Grande-Bretagne que de s'isoler. Elle aurait beaucoup à y perdre. Dans la même logique, on peut se demander quelle folie a frappé les actuels dirigeants européens qui cèdent au chantage du Président Erdoğan en relançant le processus d'adhésion de la Turquie en Europe, où à l'évidence ce grand pays n'a pas sa place puisqu'il appartient à l'Asie Mineure, en échange de son éventuelle collaboration sur la question des réfugiés syriens.

Enfin, et ce ne sera pas la moindre des tâches, il faudra revoir les compétences et le rôle de la Commission européenne. Le système est en parfait autopilotage. Bruxelles produit à jets continus une réglementation qui empoisonne la vie quotidienne des Européens sans qu'à aucun moment il y ait le moindre contrôle politique. Il faudra donc tirer les conséquences de la création en 1979 d'une Assemblée européenne. L'Europe n'a nul besoin de deux Parlements. La commission produit aujourd'hui la majorité des normes européennes, comme si elle était un second Parlement. Elle doit se concentrer – et ce sera déjà très lourd – sur la proposition et l'exécution.

J'ai bien conscience de la lourdeur de ces choix, mais ils seront seuls à la hauteur de la profonde exaspération des peuples. Nous ne pouvons plus ignorer les aspirations réelles de 500 millions d'Européens.

* * *

L'ONU devra aussi modifier sa gouvernance en élargissant sans tarder le nombre des membres permanents du Conseil de sécurité. Qui peut sérieusement soutenir qu'un cénacle pourrait légitimement évoquer les grandes questions mondiales sans l'Inde, sans un seul pays africain, sans une seule nation arabe, sans le Brésil, sans le Japon, sans l'Allemagne… ? C'est une question de bon sens. Le monde est devenu multipolaire. L'organisation mondiale doit l'être tout autant. Il n'y a plus une ou deux superpuissances qui auraient les moyens de peser seules sur les grands équilibres de la planète. Il faut adapter l'organisation mondiale à cette nouvelle réalité.

9

Ce sont le travail et les entreprises qui redresseront la France

La « réalité » – le mot est prononcé ! C'est elle qu'il nous faut maintenant comprendre et accepter. Ce n'est pas le monde qui va s'adapter à nous, c'est nous qui devons nous y faire ou disparaître. L'alternative est bien là. Sept milliards d'habitants de la planète ne vont pas attendre tranquillement 66 millions de Français. Il s'agit d'un changement structurel complet par rapport à l'ordre ancien. Dans celui-ci nous comptions. Nous étions dans les premiers presque naturellement. À l'inverse, dans le monde d'aujourd'hui, un statut, un rôle, une place se méritent. Ils se gagnent par le travail, la capacité à innover, par l'aptitude à se renouveler et à se remettre en question. Le problème ne réside plus dans le traditionnel débat économique entre la gauche ou la droite, entre les libéraux et les socialistes, entre Adam Smith et Milton Friedman... mais dans notre intelligence à comprendre les ressorts des autres économies pour être capables de survivre à la compétition impitoyable qu'elles nous imposent, et ce quels que soient nos états d'âme. Dans la première moitié du siècle passé, il y avait une petite quinzaine de pays qui trustaient toute la croissance mondiale grâce à leur avance technologique et à l'avantage formidable que représentaient pour eux des prix de matières premières très bas. Aujourd'hui, le prix de ces dernières est beaucoup plus élevé et tous les autres pays du monde sont devenus nos concurrents – pour certains redoutables. Ainsi ce ne sont plus nos constructeurs qui concurrencent le haut de gamme des berlines allemandes mais les Coréens. Qui l'aurait dit il y a trente ans ? Personne. Innombrables sont ceux qui peuvent désormais faire aussi bien, voire mieux que nous. Tout le monde est en situation de concurrencer tout le monde. Et c'est naturel, car chacun veut davantage de croissance, d'emplois, de bien-être pour ses concitoyens. Il faut tirer les conséquences de ce nouvel état de fait. Cela ne signifie nullement que nous devons sacrifier notre mode de vie ou même revenir sur la totalité de nos droits sociaux fondamentaux. Personne ne pense, évidemment, à aligner les travailleurs français sur leurs collègues indiens. Nous avons une histoire, nous avons mené des combats sociaux. Nous avons nos propres idées sur la nature de notre modèle social. Il y a cependant deux domaines où nous ne pouvons pas continuer à laisser les choses en l'état : la fiscalité et notre rapport au travail.

S'agissant de la fiscalité, la problématique est simple à formuler. La bonne fiscalité sera celle qui permettra à nos entreprises de gagner des parts de marché, de réaliser des profits et de créer des emplois. En quelques années la fiscalité est devenue moins un enjeu idéologique entre la droite et la gauche qu'un exercice de pragmatisme. Au lieu de nous lancer des noms d'oiseaux autour du sempiternel débat sur le « cadeau aux riches », il nous faut considérer où se trouve le marché essentiel pour nos entreprises. En l'occurrence, c'est l'Europe, et il faut donc se fixer comme objectif central que notre fiscalité n'excède jamais, dans le pire des cas, la fiscalité moyenne de nos partenaires et concurrents européens. Il serait, en effet, incompréhensible de continuer à prôner la liberté de circulation des biens, celle des personnes, l'existence d'un marché européen, et dans le même temps de vouloir taxer bien davantage nos entreprises que leurs voisines européennes. À ce petit jeu, nous perdrons tout : entreprises, croissance, emploi. En vérité, la bonne fiscalité n'est ni plus ni moins que celle qui permettra à nos entreprises de gagner la guerre économique qu'il leur faut livrer en profitant de la croissance partout où elle se trouve. Si elles remportent cette bataille, la France gagnera alors la partie de l'emploi contre le chômage. Qui peut croire une seule seconde que nous pourrons résoudre le cancer du sous-emploi chronique français sans entreprises en bonne santé sur notre marché premier qui est celui de l'Europe ? De la santé de nos entreprises dépend le nombre de nos chômeurs. L'entreprise doit donc être l'absolue priorité de notre future politique économique.

Il en va de même pour les personnes physiques. Quelle serait la logique d'une stratégie qui affirmerait la liberté de circulation des personnes et dans le même temps imposerait à ses « nationaux » des impôts qui n'existent nulle part ailleurs sur le continent européen ?

Ainsi du fameux ISF. On peut tout à fait défendre son principe, mais on ne peut le faire en même temps que l'on clame son attachement à l'Europe. Ce sera donc l'ISF sans l'Europe ou bien l'Europe sans l'ISF. Il n'y a pas d'alternative crédible, il faut donc supprimer l'ISF que ne connaît aucun de nos partenaires majeurs allemand, anglais, espagnol, italien... C'est le seul moyen de conjurer la fuite des capitaux et des familles plus aisées dont notre économie a un impérieux besoin pour développer sa croissance et continuer d'investir dans l'avenir. C'est toujours le même débat, au fond. Les socialistes veulent moins de riches, je souhaite moins de pauvres. Ces deux logiques se révèlent absolument irréconciliables.

Dans le même esprit, si notre impôt sur les bénéfices est supérieur à celui pratiqué en moyenne chez nos voisins, il ne faut pas s'étonner que l'arbitrage fiscal rendu au sein des grands groupes européens soit systématiquement défavorable à la France. Fixer nos plafonds d'impôts sur les entreprises comme sur les particuliers à la moyenne européenne est une absolue nécessité dont nous ne pourrons en aucun cas nous exonérer. Ce n'est plus un choix ou une alternative, puisque c'est devenu tout simplement vital. Il n'est compréhensible pour personne que l'Allemagne soit tout à la fois notre premier client et notre premier fournisseur, et que la différence de système fiscal entre nos deux pays continue à pénaliser à ce point nos entrepreneurs, chaque jour concurrencés plus férocement par leurs collègues allemands. La convergence fiscale franco-allemande est devenue un objectif central qui permettrait en outre de créer un espace de grande stabilité économique au cœur de la zone euro. La question des charges sociales sur nos emplois ne peut être différée. Il conviendra d'alléger massivement ce poids, notamment en exonérant de toutes charges sociales les emplois autour du SMIC. Nous ne pouvons plus nous permettre de traîner la « bombe » française de près de 6 millions de chômeurs. Enfin, quelle que soit la complexité du contexte budgétaire que nous allons trouver, nous devons envoyer un signal fort à tous ceux qui travaillent pour des salaires modestes, mais également à la classe moyenne. À toutes ces personnes, au fond, qui ont subi quatre années de recul de pouvoir d'achat et de matraquage fiscal sans précédent. Le premier signal devra être sur la fiche de paie, en baissant les charges payées par les salariés pour que leur salaire net augmente. Le second sera sur la feuille d'impôt sur le revenu. Nous devrons le baisser immédiatement de 10 %. Ce programme de baisse d'impôt massif devra, pour être crédible, être engagé dès l'été 2017. Le choc de confiance ne pourra pas attendre.

Au final, ce sera bien le niveau des dépenses qui deviendra la variable d'ajustement, pas le montant des impôts qui sera contraint par la pression de la concurrence extérieure. En la matière, la meilleure façon pour la France de recouvrer sa souveraineté sera de se préoccuper du montant inédit et insupportable de ses dépenses publiques. L'affaire se complique encore si l'on veut bien tenir compte de la crise de confiance à l'endroit de toutes paroles publiques, et encore davantage de toutes promesses politiques. Il ne sert plus à rien d'annoncer les baisses d'impôts. Il faut les faire...

Pour financer nos baisses d'impôts, nous n'aurons donc d'autres choix que de réduire les dépenses publiques. Les 57 % de dépenses publiques pesant sur l'économie française sont devenus une charge insupportable en termes de déficit et de dette cumulée. Ce sont bien les dépenses publiques qui sont la cause de cette situation. Les déficits et la dette n'en sont que les conséquences. En s'attaquant aux causes, on a une chance de réussir. En ne se préoccupant que des conséquences, on n'en a aucune.

L'effort sur les dépenses publiques devra être de 100 milliards d'euros sur le prochain quinquennat. En la matière, nos habitudes sont si profondément ancrées, nos droits acquis tellement enracinés, notre relation à l'État et à la chose publique si particulière que le travail va s'avérer absolument gigantesque. Il y a d'abord la question centrale des effectifs de la fonction publique. Plus de 5 millions de fonctionnaires, si on additionne les trois fonctions publiques, nationale, territoriale et hospitalière. Aucune économie ne peut y résister tant le poids que fait peser le secteur public sur le secteur privé est devenu énorme. Durant mon quinquennat, ce ne sont pas moins de 150 000 postes de fonctionnaires d'État qui furent supprimés. Insuffisant, diront certains. L'argument est recevable à la condition que l'on veuille bien noter qu'il n'y eut jamais un tel effort réalisé auparavant. Et ce, tous gouvernements de droite et de gauche confondus. Je ne crois pas d'ailleurs qu'il soit possible d'aller plus loin que le 1 sur 2, pour des raisons qui tiennent à la nécessité de continuer à renouveler la composition des corps administratifs concernés. J'entends l'argument selon lequel la politique du 1 sur 2 non remplacé est une manière de faire brutale et sans nuance. Certes, mais c'est la seule qui permette d'obtenir un résultat. Toute autre politique se heurtera au « mur des spécificités ». À ce compte-là, il y a toujours une « bonne raison » pour ne rien décider, ne rien changer, ne rien faire. Il faudra donc reprendre le 1 sur 2 où nous l'avions laissé, à l'exception des forces de sécurité. Mais il conviendra d'aller plus loin, beaucoup plus loin.

D'abord concernant les collectivités locales. J'ai bien conscience de ce qui fut l'une des faiblesses de mon action. Pendant que nous supprimions 150 000 postes au niveau national, les collectivités territoriales en recrutaient à peu près autant. Au total, pour la France, cela faisait une somme nulle. Les collectivités dirigées, pour la plupart, par des élus de gauche n'appliquaient pas la même politique que celle du gouvernement d'alors. C'est peu de le dire... Il nous faudra donc procéder à la modification de la Constitution pour que soit imposée aux exécutifs territoriaux la politique de non-remplacement d'un fonctionnaire sur deux partant à la retraite. Ici encore, la méthode pourra paraître « directive », voire, pour certains, brutale. Je ne le conteste pas, mais l'enjeu est d'une grande importance. L'obligation de réduire nos dépenses publiques rapidement est si impérative qu'en vérité nous n'avons guère le choix. Il s'agit d'une question de survie pour notre économie. On ne peut pas continuer d'écraser le secteur privé sous le poids d'un secteur public si lourd. Ce n'est ni plus ni moins que tout l'enjeu de notre compétitivité future, et donc de la bataille de l'emploi qui s'engage ici. Cela ne suffira pas, bien évidemment, à nous garantir le plein-emploi, mais, sans cet effort préalable, ma conviction est que, pour le coup, rien ne sera possible.

Cependant, je suis bien conscient qu'il nous faudra imaginer une contrepartie en termes de liberté de gestion à cette décision nationale imposée de réduction des effectifs. Dans mon esprit, elle est aisée à trouver dans la liberté nouvelle que je souhaite voir accorder aux élus locaux de pouvoir augmenter la durée du temps de travail au sein des administrations territoriales. En particulier dans les nombreuses collectivités locales qui ont maintenu des accords dérogatoires antérieurs au passage à 35 heures octroyant un temps de travail inférieur. La liberté doit donc être rendue à tous les exécutifs territoriaux, maires et présidents, de discuter avec leur personnel de l'allongement de la durée de travail dans nos administrations et de la liberté d'accorder des heures supplémentaires sans aucun contingentement. Ainsi les élus locaux pourront-ils retrouver des marges de manœuvre qui leur font aujourd'hui cruellement défaut.

J'ajoute que la question du statut dans la fonction publique territoriale comme nationale doit être posée. Le statut à vie, l'emploi à vie, la certitude de rester fonctionnaire toute sa vie doivent être repensés et revisités à l'aune du siècle qui est le nôtre. Autant il me semble naturel que l'employé de l'état civil ou le policier municipal soient des fonctionnaires, autant cela ne se justifie guère pour l'informaticien ou l'ingénieur des travaux publics. Des contrats d'embauche, dans la fonction territoriale, à la durée limitée par exemple de cinq années, doivent pouvoir être largement autorisés. Il y aurait désormais, dans notre fonction publique, deux types de statuts, l'un à vie, l'autre à durée déterminée. L'administration de nos collectivités territoriales y gagnerait beaucoup en souplesse. J'ajoute qu'il me semblerait équitable d'aligner les jours de vacances dans l'Administration sur ceux dans l'entreprise : 48 jours dans l'Administration, 36 dans l'entreprise. À quoi rime-t-il de scander le mot égalité à chacune de nos phrases si c'est pour tolérer des inégalités de cette sorte ? Il doit en aller de même avec le rétablissement du jour de carence en cas d'arrêt maladie. C'est un choix que j'avais imposé pour lutter contre les faux arrêts maladie et l'absentéisme très préoccupant dans le secteur public. Ce fut une grande démagogie de supprimer cette décision. Rien ne justifiait une telle faiblesse et une telle complaisance. Prévoir que le premier jour d'absence dans nos administrations ne soit pas rémunéré ne semble pas constituer un effort d'équité trop important. Je précise qu'il est particulièrement inadmissible qu'il n'y ait pas une plus grande transparence en ce qui concerne les chiffres de l'absentéisme.

L'attitude de l'Administration devra elle aussi changer du tout au tout dans ses rapports avec les Français. D'un rôle quasi exclusif de censeur, de contrôleur, les administrations doivent conseiller, orienter, soutenir.

Il ne s'agit bien sûr pas de protéger les fraudeurs professionnels comme occasionnels, mais d'arrêter de considérer tout citoyen comme un coupable potentiel. Il en va du climat de confiance entre les Français et leurs administrations. Ainsi, les contrôles de l'URSSAF ou ceux de la direction du travail sont trop souvent devenus véritablement inquisitoires. Je fus interloqué par le récit que me fit un artisan boulanger à la suite du dernier contrôle subi. Dès potron-minet, une dame désagréable par principe prit possession de son entreprise comme si elle se trouvait chez elle. Elle exigea de connaître à quelle heure exactement le jeune apprenti avait démarré sa journée. 5 h 30, lui fut-il répondu. Quel âge a-t-il ? a-t-elle poursuivi. Seize ans. Dans ces conditions, il s'agit d'une infraction à la loi puisque à seize ans un apprenti ne peut commencer qu'à 6 heures du matin et non pas à 5 h 30. Le boulanger tenta d'expliquer que, s'agissant de son propre fils venant avec lui de leur domicile commun, il était difficile que le père et le fils ne commencent pas à la même heure. Rien n'y fit, ce fut une première amende ; la seconde fut infligée au motif que les repas du fils avec son père n'avaient pas été déclarés comme des avantages en nature. À ce niveau de rigidité et d'absence de compréhension des spécificités familiales, il ne s'agit plus de contrôler mais d'exprimer une volonté plus ou moins assumée d'empoisonner la vie des gens. J'ai une tout autre vision de ce que devrait être l'état d'esprit d'une Administration moderne dont l'ambition première doit résider dans la capacité d'écoute et la volonté de donner des conseils. Je souhaite également que les contrôles fiscaux « sur place » dans les entreprises, qui sont extrêmement perturbants, ne puissent être engagés qu'à la condition expresse qu'il y ait des éléments précis de suspicion de fraude. Je pense également que, sauf cas avérés d'illégalités fiscales, les contrôles ne doivent porter que sur l'année précédant la vérification en cours et non plus sur les trois derniers exercices. Rétablir la confiance et la proximité entre l'Administration et les citoyens me paraît aussi nécessaire qu'urgent. Il en va de notre pacte républicain et de la qualité de vie de tous ceux qui travaillent dur et ont autre chose à faire que tenter jour après jour de prouver leur innocence. Ce climat participe beaucoup à l'atonie de la croissance française. Notre économie est comme pétrifiée par cette surabondance de règles, de normes, d'enquêtes, de contrôles. Il faut revenir à une situation apaisée. Celle de la plus grande sévérité pour les malhonnêtes et les dissimulateurs. Celle de la complète confiance pour tous les autres qui sont honnêtes et qui peuvent s'être trompés de bonne foi.

* * *

Je veux réaffirmer que l'abondance des normes est en soi une immense difficulté. Nul n'est censé ignorer la loi, prétend le code civil. Qui pourrait aujourd'hui sérieusement affirmer qu'il y parvient ? Personne, y compris les plus spécialisés. Nos agriculteurs sont sans conteste ceux qui en souffrent le plus. Je regrette que, de ce point de vue, le Grenelle de l'environnement ait été trop loin. Que les ministres en charge l'aient laissé dériver, si éloigné de l'esprit initial qui était juste. Deux mesures devront être engagées vigoureusement. La première consistera à refuser toute « sur-transposition » des directives européennes. Car la France non seulement subit ces directives, mais en plus, souvent, en rajoute encore. La règle doit être simple. Jamais, dans aucun cas de figure, nous ne devrions imposer à nos agents économiques, quel que soit leur secteur, des règles plus sévères que celles qui existent en moyenne chez nos partenaires européens. La seconde consistera à transformer le principe de précaution voulu par Jacques Chirac en principe de responsabilité. Tout simplement parce que, au nom de la précaution, on s'abstient d'agir, alors que, au nom de la responsabilité, on agit, tout en assumant les conséquences. Il n'est ainsi plus acceptable que partout dans le monde on investisse dans le pétrole et le gaz de schiste, et qu'en France on puisse continuer à se l'interdire.

J'ajoute enfin que la République doit déclarer un moratoire total sur toutes nouvelles normes pour la durée du prochain quinquennat. Cela vaudra notamment pour les collectivités territoriales qui sont littéralement envahies par une prolifération législative et réglementaire. Ce moratoire ira de pair avec un assouplissement des règles actuelles. Je m'étonnais auprès du maire de Salon-de-Provence que, dans les HLM, les chambres soient si petites alors que les salles de bains étaient si spacieuses. La raison en est simple, me fut-il répondu : « Les salles de bains doivent toutes être équipées pour qu'un fauteuil roulant puisse s'y mouvoir. » Ne serait-il pas plus simple de réserver réellement 5 ou 10 % des appartements aux handicapés plutôt que d'imposer cette mise aux normes généralisée qui coûte si cher ? Un peu de bon sens faciliterait la tâche de tous nos élus locaux.

* * *

La question de la durée du temps de travail dans l'entreprise doit également être posée. Il s'agit ici encore de notre compétitivité et de notre capacité à renouer avec une croissance créatrice d'emplois. J'avais cru régler la question des 35 heures avec les heures supplémentaires défiscalisées. Et, de fait, en autorisant leur distribution beaucoup plus largement, en les exonérant de charges sociales pour les rendre attractives et en permettant à leurs bénéficiaires de ne pas payer l'IRPP sur elles, je pensais avoir apporté aux entreprises la souplesse qu'elles souhaitaient, et aux salariés le pouvoir d'achat supplémentaire qu'ils espéraient. Le système fonctionna à merveille au-delà même de mes espérances, puisque ce ne furent pas moins de 9 millions de « travailleurs » qui en bénéficièrent. La « demande » fut soutenue, la croissance supérieure à ce que nous avions connu les trois années antérieures. Tout le monde était satisfait. Mais les heures supplémentaires étaient de mon fait. Il fallait donc qu'elles disparaissent... Ce fut la première erreur du quinquennat de François Hollande. Hélas, pas la dernière... Je compris tout de suite le décrochage violent que cette décision allait provoquer pour la nouvelle équipe au pouvoir dans l'électorat populaire. En juillet 2012, alors que je faisais mon jogging quotidien près de chez des amis en Provence, je fus hélé par un jeune homme : « Sarko, je peux vous dire un mot ? » Je m'arrêtai en sueur, et passablement essoufflé.

À peine arrivé à ma hauteur, il me dit : « À cause des socialistes, je perds dans mon entreprise 250 euros d'heures supplémentaires par mois. Je ne le leur pardonnerai jamais ! » Sans commentaire. Ils furent des millions de Français à penser comme cette personne. J'en suis encore à me demander comment il est possible que les socialistes en soient à ce point venus à penser faux à propos de tout ce qui touche au travail.

La gauche était la famille des travailleurs. Elle est devenue la porte-parole de la France des statuts. La gauche était la famille du mouvement, de la réforme et du progrès. Elle est devenue le symbole du conservatisme, de l'immobilisme, de la frilosité. La gauche était communément associée à l'idée de progrès. Du fait de son alliance contre nature avec une écologie politique d'extrême gauche, elle est devenue l'adversaire de la science, de l'autonomie des universités, du gaz de schiste, de l'énergie nucléaire et de tout ce qui, de près ou de loin, peut présenter la chance d'une rupture avec l'ordre ancien. Aux yeux de certains socialistes français, le travail est devenu un problème, une sorte de contrainte, une parenthèse dans la « vraie vie » qui ne peut être consacrée qu'au loisir. C'est cette approche idéologique qui leur a fait commettre cette profonde erreur politique de la suppression des heures supplémentaires, qu'il nous faudra bien entendu remettre en place immédiatement.

Mais du même coup la question des 35 heures est revenue sur le devant de la scène politique avec une force décuplée. Pour les uns, j'aurais dû abattre ce symbole. Pour les autres, à l'inverse, je suis suspect de vouloir le supprimer. Et encore une fois, dans notre pays, postures et idéologies ne tardent jamais à revenir en force.

Il va donc nous falloir trancher ce débat une fois pour toutes, l'évolution progressive mise en place en 2007 n'étant plus adaptée à la situation actuelle. La première des évidences, c'est que, en moyenne, nous autres Français ne travaillons pas assez, en tout cas par rapport à ceux qui nous concurrencent. Ce qui a pour conséquence quasi automatique de nuire gravement à notre compétitivité. La situation ne peut plus rester en l'état. Le choix de travailler davantage dans le privé comme dans le public s'impose à nous.

Je propose en conséquence que la liberté devienne la règle. Les entreprises qui voudront s'exonérer de cette durée de temps de travail pourront le faire à la suite d'un simple accord adopté par les salariés dans l'entreprise. Celles qui voudront la conserver pourront le faire selon la même procédure. J'ai beaucoup réfléchi à la question. Il faut à tout prix éviter sur le sujet une guerre de tranchées idéologique qui bloquerait tout. Revenir au libre choix et à l'accord dans l'entreprise me semble la seule voie raisonnable. Je crains beaucoup qu'à l'idéologie sectaire des uns ne réponde l'idéologie brutale des autres. Or l'entreprise a besoin de pragmatisme, d'efficacité, de stabilité. La souplesse donnée par cette nouvelle liberté sera de nature à nous aider à retrouver la réalité de la compétition internationale tout en tenant compte des situations particulières. Certains grands groupes se sont adaptés aux 35 heures, d'autres entreprises en meurent. D'une manière générale, l'accord au sein de l'entreprise devra donc être systématiquement privilégié, en précisant tout de même qu'en cas d'absence de représentants syndicaux ou d'impossibilité de conclure un accord avec ces derniers, la parole doit revenir aux salariés par la procédure du référendum interne à l'entreprise. Ainsi, en dernier ressort, ce sont les salariés eux-mêmes qui décideront de la durée du temps de travail dans leur entreprise. Je ne poserai qu'une seule limite : que l'on travaille 35, 36, 37 ou 38 heures, cela devra toujours être pour être payé 35, 36, 37 ou 38 heures. Je n'ai pas changé d'avis. On peut choisir de travailler plus, mais pour gagner plus, pas moins. Il peut bien sûr y avoir des exceptions à cette règle, mais elles ne peuvent trouver de justifications que dans les graves difficultés de l'entreprise concernée. L'effort demandé sur les salaires doit alors n'être que ponctuel.

Restera à résoudre deux questions sensibles : celle des RTT pour les cadres et celle des exonérations de charges liées aux 35 heures. Il faudra conduire une négociation pour diminuer les RTT des cadres. Chacun devra faire un effort, et pas seulement les salariés les plus modestes. Quant aux exonérations, je sais qu'elles coûtent cher, pas loin de 11 milliards pour les seules 35 heures, mais je ne crois pas en leur suppression, surtout au nom de la lutte pour une meilleure compétitivité. Je pense donc qu'il faudra les conserver en l'état.

Finalement, sur la si délicate question du temps de travail, nous aurions un paysage français complètement rénové, avec les administrations qui travailleraient plus que 35 heures et la liberté donnée aux exécutifs territoriaux de signer des accords pour augmenter le temps de travail, et un secteur privé où la liberté de négociation serait totale pour fixer le niveau de déclenchement des heures supplémentaires sous réserve, naturellement, des normes maximales fixées par l'Europe, et de l'engagement de payer chaque heure travaillée en plus. J'ai conscience que ce projet constitue en soi une « révolution ». Mais ce sera le prix à payer par les salariés français pour que notre économie retrouve un minimum de compétitivité et pour qu'eux-mêmes puissent améliorer leur pouvoir d'achat. De ce point de vue, je n'ai pas bougé d'un iota. Je crois toujours que la seule façon de gagner plus, c'est de travailler davantage. L'allongement inéluctable de notre temps de travail devra être complété par toutes les négociations portant sur la qualité de la vie au travail. Travailler plus et travailler mieux seront les deux objectifs prioritaires de notre politique sociale. L'idée centrale étant bien celle d'une négociation « pour » le travail et non pas, comme aujourd'hui, « contre ». Il ne s'agit ici nullement d'être obnubilé par les thèses du libéralisme pur et dur, ou de céder aux revendications des organisations patronales, mais de tenir compte de la réalité d'un monde avec lequel nous sommes en compétition, que nous le voulions ou non.

Le débat sur le temps de travail ne s'arrêtera pas là, puisqu'il nous faudra de surcroît continuer à reculer l'âge de départ à la retraite, l'espérance de vie continuant d'augmenter. La réforme que nous avons conduite en 2010 fut certainement l'une des plus efficaces en termes de réduction des déficits jamais engagée. La raison en est simple : puisque aucune organisation syndicale ne voulut signer le moindre accord, nous ne fûmes donc contraints à aucun compromis. L'accord de 2004 conclu par le gouvernement avec la CFDT avait en effet ruiné l'équilibre financier de la réforme Fillon de l'époque. Avec celle de 2010, les syndicats ne souhaitaient même pas discuter le principe d'une modification de l'âge de départ à la retraite. Ce fut compliqué d'avancer politiquement, mais socialement nous avons pu bâtir, en toute tranquillité, la meilleure réforme possible. J'ai longtemps eu une réticence à engager cette réforme dont je n'avais pas parlé durant ma campagne de 2007. Je n'avais donc, en quelque sorte, pas de « mandat » pour agir. Il s'agissait de plus de revenir sur la retraite à 60 ans qui fut longtemps le symbole des années Mitterrand. Je m'y suis pourtant résolu devant l'évidence du gouffre financier qui s'annonçait pour notre régime d'assurance vieillesse. Ne rien faire eût été irresponsable. Le besoin d'argent de nos caisses de retraite était tel que je préférai me concentrer sur la vitesse avec laquelle nous atteindrions la nouvelle limite d'âge plutôt que sur les débats infinis à propos de l'année de référence. J'arbitrai donc pour 62 ans comme nouvel âge de départ à la retraite en 2018, plutôt que 63 ans en 2025. Cela rapportait à l'assurance vieillesse pas moins de 22 milliards d'euros en année pleine. Cela revenait à augmenter la durée de cotisation d'un trimestre par année, soit la plus forte pente de progression de toute l'Europe. Christine Lagarde, alors ministre des Finances, penchait pour 65 ans en 2025. Éric Woerth, le ministre du Travail, était lui convaincu par les 63 ans. Le Premier ministre attendait ma décision pour se prononcer. Mon obsession était toujours la même, ne pas déclencher de violences qui nous auraient conduits à reculer. Je sentais que les Français étaient prêts à comprendre la nécessité de revenir sur la retraite à 60 ans, mais je percevais qu'ils étaient attentifs à ce que « je ne profite pas » de la crise pour leur imposer des souffrances qui n'étaient pas « absolument » nécessaires. C'est ainsi que fut retenu le chiffre de 62 ans – applicable dès 2018 – ce qui avait pour effet d'augmenter les économies réalisées. Nous connûmes huit manifestations nationales assez nombreuses, mais sans violence. Nous affrontâmes un véritable mur syndical unanime dans sa détermination à s'opposer à notre projet. Le parti socialiste promit qu'il reviendrait sur cette « réforme scélérate ». On sait ce qu'il advint de cette promesse qui rejoignit rapidement le cimetière de toutes celles qui avaient déjà été enterrées. La palme du mensonge revint malgré tout à Ségolène Royal qui, sur TF1, annonça solennellement que, une fois au pouvoir, les socialistes reviendraient à la retraite à 60 ans. En repensant à tous ces propos parjures, je peux mieux saisir la désespérance et la colère de cet électorat populaire qui constate aujourd'hui à quel point il a pu être abusé. Il y a des mots pour décrire cela : le manque total de respect. Comment mieux dire que l'on se moque des Français quand on peut à ce point travestir la vérité ? Mais j'ai parfaitement conscience que c'est, une fois encore, toute parole publique qui devient suspecte. Qui croire, se demande le citoyen, si mentir est la voie d'accès naturelle au pouvoir ? Il ne s'agit pas de faire de l'angélisme ou de donner la moindre leçon. Moi non plus, je n'ai sans doute pas tenu toutes mes promesses. Malgré tout, je n'ai pas le souvenir d'avoir jamais fait preuve d'un tel cynisme.

* * *

J'ai beaucoup pensé à cette question de la parole donnée, de la valeur de ses engagements, de la crédibilité du propos que l'on tient. Le sujet est absolument central. Plus importante même que le contenu d'un projet comptera la détermination à le mettre en œuvre minutieusement. L'opinion publique si désabusée et si déçue de toutes ces promesses sans lendemain a beaucoup hissé son niveau d'exigence. Je crois donc qu'il est aujourd'hui nécessaire de tout dire, et que de plus on ne court guère de risque à dire la vérité. Celle-ci est, en matière de retraite, limpide : il faudra continuer à retarder l'âge du départ avec au minimum une première étape à 63 ans dès 2020, puis une seconde à 64 ans en 2025. Je préfère de beaucoup la méthode qui consistera à banaliser la réforme par une augmentation continue et régulière plutôt qu'à employer celle du coup de massue « brutal ». Il est par ailleurs impératif de mettre fin à la différence des modes de calcul des retraites entre le secteur privé et le secteur public. La règle de calcul dite des « six derniers mois » dans le public n'a plus de justification et constitue un symbole d'inégalité avec le privé. La retraite des fonctionnaires devra donc être calculée sur les vingt-cinq meilleures années de leur carrière, comme c'est le cas pour tous les salariés. En contrepartie, leurs primes devront être intégrées dans le calcul de la retraite, ce qui n'est pas le cas aujourd'hui.

Je tiens d'ailleurs à préciser que la réforme ne résulte pas uniquement d'une question de courage, comme je l'entends dire si souvent. S'il suffisait d'être courageux pour diriger un pays, cela ne serait pas un problème de choisir parmi les postulants. Le courage est nécessaire, mais il faut de surcroît connaître et « sentir » le pays et ses concitoyens. Imaginer et projeter la capacité de ces derniers à accepter une mesure difficile. Il faut souvent contraindre l'opinion publique, mais sans jamais casser le fil du dialogue. Car, une fois celui-ci rompu, non seulement la réforme nécessaire se trouve stoppée, mais la marche arrière est engagée. Le temps perdu se compte alors en années. Il est absolument impossible de ne passer qu'en force. L'époque de Margaret Thatcher ou de Ronald Reagan remonte au Moyen Âge de la vie médiatique. L'importance des réseaux sociaux, des chaînes d'actualités qui émettent vingt-quatre heures sur vingt-quatre, l'immédiateté de l'information et son universalité ont complètement changé les codes. Il faut désormais tenir sans casser. Il faut avancer sans brutaliser. Et c'est ici que la campagne électorale qui précède l'élection prend toute son importance. Car en fait personne n'a la légitimité de s'opposer à ce qui aura clairement été annoncé avant l'élection. En vérité, c'est bien dans les quelques mois qui la précèdent que se joue le contenu d'un futur mandat. Celui de François Hollande était scellé par les mensonges de sa campagne. La leçon doit nous servir. Tout dire avant pour tout faire après, c'est la seule stratégie possible. La seule moralement acceptable et démocratiquement compatible.

* * *

Il va nous falloir aller jusqu'au bout des explications s'agissant de notre future politique sociale. Celle-ci est à réinventer complètement. Il n'y a plus de modèle social français, si ce n'est une immense machine à fabriquer un chômage de masse. On ne peut en rester aux seuls fantasmes et tabous actuels. Parler « social », c'est au fil des années devenu la promesse de distribuer, en général sans efficacité et sans direction, un argent que l'État n'a pas, ou plutôt n'a plus. Chacun revendique au nom de son exigence de solidarité, et l'État finit toujours par céder, non au plus nécessiteux, mais à celui qui a la plus grande capacité à bloquer tout le système. Au lieu de lutter contre les nouvelles injustices, la « politique sociale » ancre les anciennes comme si les situations demeuraient pour toujours identiques. Notre politique sociale doit retrouver un sens, une direction, une unité. Son but prioritaire doit être un emploi pour chacun. Toute personne en bonne santé et en âge de travailler doit pouvoir vivre du fruit de son travail. L'équilibre actuel, entre la protection des salariés et la nécessité de permettre aux entreprises de se développer, n'est en rien satisfaisant car il laisse à l'extérieur du marché de l'emploi une grande partie de la population, au premier rang de laquelle se retrouvent les jeunes, les seniors ou les moins qualifiés. De plus, le caractère prétendument « protecteur » de notre législation sociale est un leurre, car la France se caractérise par un sentiment d'insécurité de l'emploi particulièrement élevé qui s'explique pour une large part par une durée moyenne du chômage plus longue qu'ailleurs.

Il nous faudra donc réformer profondément notre législation du travail avec l'obsession de favoriser la création d'emplois et le développement de l'activité. Dans un environnement économique de plus en plus concurrentiel, nous devons permettre à nos entreprises de s'adapter plus rapidement. Trois véritables révolutions devront être engagées dans le même mouvement. La priorité sera d'abord d'instituer des normes sociales moins réglementaires et davantage issues de négociations à l'intérieur de l'entreprise. Nous devrons ensuite impérativement réduire les risques et les incertitudes de la catastrophique judiciarisation actuelle des relations du travail. Enfin, il conviendra de simplifier massivement les règles applicables aux relations du travail.

Faire évoluer les règles actuelles de rupture du contrat de travail sera une urgence. On ne dira jamais assez à quel point elles sont excessivement rigides, complexes et, finalement, pénalisantes pour l'emploi. En l'état actuel du droit, le juge considère qu'un licenciement économique n'est justifié que si la situation de l'entreprise lui semble compromise. Je crois, à l'inverse, qu'en étant obligé d'attendre que la survie de l'entreprise soit en jeu pour pouvoir réaliser un licenciement économique, on augmente son risque de défaillance et, en définitive, le nombre de licenciements. Il faut que notre droit du travail permette au chef d'entreprise de réorganiser son entreprise, d'anticiper et de s'adapter aux évolutions économiques, sans attendre d'être au bord du dépôt de bilan. Le motif de réorganisation de l'entreprise deviendrait un motif suffisant, vérifiable factuellement par un juge, sans qu'il ait à évaluer sa situation économique ou financière comme actuellement. C'est d'ailleurs une question d'image que l'on se fait du chef d'entreprise. Je crois pour ma part qu'il mérite qu'on lui fasse confiance. Un patron ne se sépare pas de ses collaborateurs pour le plaisir. C'est lui et personne d'autre qui est le mieux à même d'analyser la situation économique de son entreprise, et la nécessité d'embaucher ou de licencier. Il n'est pas raisonnable de lui substituer le juge pour une décision qui doit relever de sa gestion et de sa responsabilité. L'appréciation de la nécessité économique de la suppression d'un emploi relève à mes yeux de l'employeur. Le rôle du juge doit, dans ces conditions, être cantonné à la seule vérification de l'existence et de l'exactitude des raisons économiques évoquées à l'appui du licenciement. Je précise en outre qu'il faudra apprécier la réalité du « motif économique » au niveau de l'entreprise et non du groupe, et plafonner le montant des indemnités en cas d'absence de cause réelle et sérieuse de licenciement, pour renforcer la sécurité juridique de la rupture du contrat de travail.

La question des seuils devra être affrontée avec le même pragmatisme, sans plus se préoccuper des tabous et des faux-semblants si fréquents en la matière. *A minima*, il faudra supprimer le seuil de 10 salariés pour les délégués du personnel qui n'est en rien adapté à la situation des petites entreprises. Il n'y aura donc plus de délégué du personnel obligatoire pour toutes les entreprises de moins de 50 salariés. Pour le reste, il me paraît raisonnable de fusionner l'ensemble des instances de représentation du personnel à partir de 50 salariés, ce qui permettra d'être en accord avec les directives européennes. Enfin, je juge bien sûr indispensable la suppression des commissions régionales paritaires interprofessionnelles dans les TPE, qui viennent d'être créées et qui ajouteront de la complexité et de la lourdeur à un dialogue social qui n'en a nul besoin, et qui de plus éloignent contre tout bon sens celui-ci des réalités de l'entreprise.

En définitive, la vérité est que je ne crois plus en la seule réforme de notre code du travail. Il est devenu si complexe, si lourd, si abscons que seule une refondation complète permettra d'y voir de nouveau clair. Cette refondation doit nettement assumer que c'est la loi, et c'est donc le nouveau code du travail qui fera loi. C'est-à-dire un ensemble de règles impératives correspondant aux droits fondamentaux des salariés ou issues des textes européens. Tout le reste devra être renvoyé à la négociation dans l'entreprise ou dans les branches, les partenaires sociaux ayant la possibilité de négocier sur des sujets relevant aujourd'hui de la loi. Je veux enfin mettre en garde contre le risque réel qu'il y aurait à avoir comme unique objectif la réduction drastique du code du travail, car cela aurait pour probable conséquence de renforcer encore le rôle du juge dans les relations du travail. Or ce risque doit absolument être prohibé : en effet, la production de normes est aujourd'hui davantage le fait de la jurisprudence de la chambre sociale de la Cour de cassa que du législateur. Il faudra trouver les moyens de freiner cette inflation sans limites.

Nous ne pourrons pas davantage faire l'économie de la suppression immédiate du compte personnel de prévention de la pénibilité, car la logique même de ce compte est éminemment contestable, puisqu'il ne fait que recréer des nouveaux régimes spéciaux à l'encontre des efforts réalisés pour relever le taux d'emploi des seniors.

L'essentiel sera surtout de parvenir à faire évoluer notre modèle social d'une culture de l'affrontement à celle de la négociation dans l'entreprise. Cet enjeu est absolument central et nécessitera une « montée en gamme » des négociateurs. C'est la raison pour laquelle je plaide pour l'obligation faite aux délégués syndicaux d'être élus et pour la suppression du monopole syndical de présentation des candidats au premier tour des élections professionnelles. Plus les représentants syndicaux seront légitimes, plus nous pourrons être ambitieux dans les changements indispensables à apporter à notre modèle social.

Ce programme semble considérable, et pourtant, ne après l'avoir lancé, il nous restera à repenser tement le régime d'assurance chômage. C'est e d'une lucidité minimum que d'affirmer sité de notre système est inversement son efficacité. Il est plus généreux ers le monde en termes d'ouver- quatrième mois d'activité ; de de vingt-quatre mois ; des montants versés à hauteur de 70 % de l'ancien salaire net et enfin de l'absence quasi complète de dégressivité. Cet état de fait a une incidence forte sur les comportements de recherche d'emploi en France. En un mot, notre système n'est pas assez incitatif à la remise au travail. De plus, son inefficacité se double d'un coût exorbitant qui met en péril sa pérennité. Sa situation financière n'a jamais été aussi dégradée depuis vingt ans : 26 milliards d'euros de dette en 2015, 35,1 milliards en 2018, soit rien de moins qu'une année entière de cotisations. Là encore, nous n'aurons pas le choix. Il faudra profondément changer. J'ai bien conscience de la difficulté politique qu'il y aura à rétablir la « dégressivité » dans la gestion des indemnités chômage, mais il s'agit de la seule solution efficace pour encourager massivement à la reprise d'emploi. Une réduction significative, par exemple de 20 %, au bout de douze mois d'indemnisation, montant qui serait réduit de 20 % supplémentaires après dix-huit mois, me paraît adaptée à la situation que nous connaissons.

Nous ne pouvons pas demeurer avec 6 millions de chômeurs. Nous ne devons pas ignorer l'exaspération de la France qui travaille, qui n'accepte plus de constater dans sa vie quotidienne l'ampleur de la fraude à la protection sociale.

Au bout de dix-huit mois d'indemnisation, le chômeur concerné passerait du système assurantiel à celui de la solidarité nationale, en ayant la possibilité de postuler à une allocation désormais unique.

Celle-ci serait constituée de la fusion entre l'actuel RSA, la prime d'activité et les aides personnelles au logement. Elle bénéficierait aux personnes qui travaillent et ont un revenu modeste. Elle serait également ouverte à toutes les personnes au chômage, sauf bien sûr celles qui ont l'allocation adulte handicapé. Pour ceux qui sont au chômage, son versement serait suspendu au bout de six mois en cas de refus de prendre un travail ou une formation. Et ses bénéficiaires seraient redevables à la collectivité d'heures d'activité dédommagées, c'est-à-dire rémunérées en dessous du SMIC. Les risques de fraude seraient beaucoup réduits par la fusion de ces trois allocations. La lisibilité du système serait renforcée. Ainsi, tout serait mis en œuvre pour encourager chacun à la reprise d'un travail. J'ai conscience que c'est un changement majeur. Mais c'est le seul à même d'avoir un système dans lequel les droits ont comme contrepartie des réels devoirs.

10

Contre la dispersion, choisir des priorités

On ne peut sérieusement parler de la question sociale sans évoquer l'immense chantier de la santé publique. Il est « immense » à plus d'un titre. Qu'y a-t-il de plus important que notre santé et sa préservation ? S'il y a bien un secteur où il convient de ne pas « économiser », cela devrait être celui-là. La question n'est donc pas de dépenser moins, mais d'être assuré que l'argent investi l'est à bon escient. Immense encore, par les sommes colossales qui sont en jeu : 11,6 % de notre PIB contre 9,3 % pour la moyenne des pays de l'OCDE. L'objectif national des dépenses d'assurance maladie s'élevait en 2015 à 182 milliards d'euros. Immense également, par la complexité des acteurs et des problématiques qu'il convient d'affronter. Celle de la vieillesse n'étant pas la moindre. Immense, enfin, par le nombre des emplois directs et indirects qui sont concernés : 2 millions.

Il ne s'agit pas ici de détailler toutes les propositions nécessaires, mais au moins de dégager trois priorités à mes yeux essentielles. La première consistera en la mise en place d'un plan de grande ampleur « médecine libérale 2020 » d'un milliard d'euros. Depuis dix ans, les dépenses publiques de santé ont favorisé l'hôpital, comme en ont témoigné les plans hôpital de 2007 et de 2012. Je suis convaincu que le temps de la médecine libérale est venu. Il faut à tout prix revaloriser la médecine de proximité, essentielle à la qualité des soins en France. Je suis fondamentalement attaché à la liberté pour les patients de choisir leurs médecins et à la liberté pour ceux-ci de prescrire le traitement de leur choix. Cet attachement justifie mon opposition déterminée au « tiers payant généralisé ». En effet, ce système déresponsabilisera d'abord les patients. Comment en effet faire comprendre que la médecine a un coût si celui qui est soigné ne l'assume nullement ? Il y a fort à parier que l'on assiste alors à une explosion des dépenses. Il conduira ensuite à la fonctionnarisation de nos médecins libéraux qui se retrouveront du coup avec un seul client, l'Assurance maladie, laquelle sera alors en mesure d'imposer aux patients le choix d'un médecin et à celui-ci le choix du traitement. Cela en sera alors fini de la médecine libérale à la française qui est l'une des meilleures au monde. Or elle doit, à l'inverse, être confortée alors que nous faisons face à une baisse significative du nombre de médecins sur certains territoires, notamment des généralistes. En outre, le nombre des médecins retraités a augmenté de 8 % pour la seule année 2013. Revaloriser la profession devra être notre priorité. Même si je suis attaché à la rémunération à l'acte, il n'est plus possible de continuer à vivre l'humiliante question de la revalorisation de 1 euro de la consultation médicale. L'enjeu est chaque fois lourd pour l'Assurance maladie, pour une satisfaction très relative des praticiens qui passent alors leurs consultations de 23 à 24 euros. Vis-à-vis de personnes qui ont fait au moins dix années d'études, cela ne témoigne pas d'une très grande considération. Il faudra, notamment, augmenter plus rapidement la rétribution des professionnels de santé sur des objectifs de santé publique et sur les nouvelles formes de coopération entre professionnels libéraux, essentielles pour améliorer la prise en charge des pathologies chroniques. Il n'y aura ensuite pas d'autre choix que de débarrasser nos médecins libéraux de 50 % de la paperasserie qui leur empoisonne la vie dans des proportions qu'on a du mal à imaginer. Quiconque a essayé de remplir un formulaire d'entrée de ses vieux parents dans une maison médicalisée a pu constater ce que la folie administrative peut engendrer de pire. Enfin, il sera possible d'organiser le transfert de certaines activités aujourd'hui réalisées à l'hôpital vers la médecine de ville. Je pense aux chimiothérapies ou à la dialyse qui, grâce aux innovations thérapeutiques et organisationnelles en cours, pourraient se dérouler pour le confort des patients à domicile.

La deuxième priorité consistera, à l'image de ce que nous avons fait pour les universités, à donner l'autonomie aux hôpitaux. Il s'agirait de leur conférer davantage de libertés en matière de gestion des personnels, d'appels d'offres et de partenariats. Cette autonomie aurait pour contrepartie une obligation de recomposition du tissu hospitalier et d'équilibre des comptes. Cette « petite révolution » permettrait un effort sans précédent de regroupement de ces établissements. Ce qui aiderait à mettre fin à une anomalie,

celle du record du monde du nombre d'établissements de santé rapporté au nombre d'habitants. Ainsi
la Suède dispose de 2,7 lits d'hôpital pour 1 000 habitants contre 6,4 en France. Ce qui n'empêche pas la
Suède d'avoir une espérance de vie après 65 ans de
14,5 ans contre 10 en France. Diminuer le nombre
des lits hospitaliers de manière organisée ne nuit donc
pas à la qualité des soins.

Enfin, nous devrons convaincre les Français de l'im-
périeuse nécessité de diminuer la part des dépenses
remboursées par l'Assurance maladie. Elle est d'aujourd'hui de 76 %, sans même tenir compte de la
part prise en charge en plus par les complémentaires.
Abaisser le taux de 1 point rapporte près de 2 milliards d'euros. La France est un des pays développés
où la prise en charge des dépenses de santé par les
fonds publics et les complémentaires est la plus importante et où le reste à charge des ménages est le plus
limité (8 %). Ces choix sont incontournables lorsque
l'on sait que le déficit de l'Assurance maladie est prévu
à 7,2 milliards en 2015. Revenir à l'équilibre dès 2018
suppose nécessairement de réduire de deux ou trois
points la part prise en charge par l'Assurance maladie,
ce qui est possible en remboursant plus efficacement
et en ayant le courage de prendre des mesures de
déremboursement.

* * *

Détruisons une idée reçue. La mondialisation inéluctable ne conduit pas à la disparition de la nation.
Il s'agit même d'un parfait contresens. Plus la libre

circulation des personnes et des biens sera établie, et personne ne reviendra dessus, plus la nécessité de se sentir enraciné dans un pays, une tradition, un environnement culturel sera forte. Plus le monde devient un village, plus le village est notre ancrage. Le monde s'ouvre, certes, mais nous avons besoin d'avoir les pieds en notre terroir. Ce n'est pas le moindre des défis de la politique que de devoir concilier la nécessité de l'ouverture et la défense d'une identité nationale. Préserver la nation sans refuser la mondialisation, telle est ma conviction. De ce point de vue, ce fut une grave erreur lors de l'élaboration de la Constitution européenne que de refuser de citer les racines chrétiennes de la France et de l'Europe. Des millions de citoyens y ont vu comme une forme de reniement des valeurs, de la culture, de l'identité de la France.

* * *

Ce thème de l'identité nationale recoupe en fait celui de l'enseignement, car il s'agit de transmettre d'abord un patrimoine aux générations qui arrivent. La transmission se fait-elle dans de bonnes conditions aujourd'hui ? Assurément non. On peut même dire que, de tous les échecs de la République moderne, c'est-à-dire de la République post-événements de 1968, l'Éducation nationale est sans doute le plus spectaculaire, le plus choquant, le plus lourd de conséquences. Au fond, nous avons collectivement échoué à effectuer la démocratisation et la massification de l'Éducation nationale. L'objectif hautement souhaitable d'emmener la totalité d'une classe d'âge au niveau du baccalauréat s'est payé d'une perte de qualité dans l'enseignement. Comme si, par un choix non exprimé, nous avions fait baisser le niveau d'exigence demandé aux élèves dans l'espoir vain de les voir tous réussir. Le résultat est que tout le monde est aujourd'hui perdant. Les enfants des familles les plus modestes qui, davantage que les autres, ont besoin de l'excellence. La société qui voit chaque année arriver sur le marché du travail plus de 100 000 jeunes qui ne maîtrisent aucun des savoirs fondamentaux et qui, en conséquence, ne peuvent s'insérer. Nos finances publiques qui s'épuisent à alimenter le premier budget de la nation, et quel budget ! Pas loin de 65 milliards d'euros. Les familles qui ne cessent d'exprimer leurs attentes déçues et leur mécontentement. Et enfin les enseignants et les personnels de l'Éducation nationale qui, malgré leur dévouement, ne peuvent répondre aux attentes contradictoires auxquelles ils sont soumis. S'ajoute à ce constat la perte d'autorité dans la société qui s'exprime encore plus fortement dans l'Éducation nationale. Le maître éprouve toutes les difficultés du monde à se faire respecter, et pas seulement dans les établissements difficiles. La violence a pénétré dans tant de nos collèges et lycées qu'ils ne constituent plus les lieux de paix et de sérénité que la République avait promis. Quant à la place des enseignants dans la société, elle n'a fait que reculer dans une spirale de dégradation sociale sans fin. Il est décidément bien loin le temps des villages où coexistaient trois personnalités : le maire, le maître et le curé. Pour le coup, il faut bien reconnaître que la droite partage avec la gauche la responsabilité de ce triste constat. J'ai moi-même commis l'erreur de vouloir réformer l'Éducation nationale en partant des enfants. C'était sans doute louable, plein de bonnes intentions, mais cela s'est révélé une erreur. J'ai acquis la conviction que, pour changer en profondeur notre Éducation nationale, il faut d'abord s'intéresser aux professeurs, parce qu'ils sont le pilier de la transmission du savoir. Et donc à leur statut, à leur rémunération, à leurs heures de présence dans l'établissement scolaire, car quelle que soit la qualité de la réforme envisagée, quel sera son avenir si elle est mise en œuvre par des enseignants démotivés ? L'une des grandes difficultés réside dans le fait qu'il n'y a plus assez d'adultes dans les collèges et les lycées. Comment peut-il en être autrement avec dix-huit heures d'obligation de service pour les enseignants certifiés et quinze heures pour les agrégés ? Bien souvent, les enseignants qui habitent loin de l'établissement où ils exercent concentrent donc leurs heures sur deux jours. Or un lycéen qui perd pied en classe doit pouvoir trouver après celle-ci un adulte sur qui il pourra s'appuyer et auquel demander conseil.

L'égalité ne consiste pas à donner à chaque élève la même attention, mais de donner à chacun ce dont il a besoin. Or certains élèves ont davantage de nécessités que les autres, et pas seulement pour des raisons sociales. Enfin, la mission d'enseigner ne peut se réduire à la seule classe, elle doit concerner tous les instants de la présence d'un collégien et d'un lycéen dans son établissement.

C'est la raison pour laquelle je crois absolument nécessaire d'augmenter de 25 % le temps de présence des enseignants dans les lycées et collèges. Ce temps supplémentaire ne doit pas seulement servir à augmenter les heures de classe mais à disposer de temps libre pour aider et soutenir les élèves le plus en difficulté. Tout le monde n'a pas les moyens de payer à ses enfants des cours particuliers. Cette augmentation du temps de travail autorisera en conséquence l'indispensable revalorisation de la rémunération des enseignants. On ne peut plus continuer à dévaloriser ainsi le statut de ceux qui ont la responsabilité primordiale de la transmission des savoirs. Comment garantir leur motivation tout au long d'une carrière si l'importance de leur rôle dans la société est aussi faiblement reconnue et que leurs élèves sont aussi peu nombreux à vouloir enseigner à leur tour ?

Enfin, il convient d'avoir le courage d'affirmer que la France n'a pas les moyens de recruter et de former 850 000 enseignants. Il vaut mieux en avoir 20 % de moins et les payer 20 % de plus.

Moins d'enseignants. Mieux payés. Mieux considérés. Mieux formés. Plus disponibles. Voilà, me semble-t-il, ce qui doit être la base de notre projet pour l'Éducation nationale.

Une fois ces fondations établies, il faudra arrêter de courir après la « énième réforme » ou la nouvelle circulaire du ministre qui sera aussi peu lue que les précédentes afin d'appliquer un principe simple : celui du respect de la règle. Les élèves se lèvent lorsque le professeur entre dans la classe. On ne vient pas au lycée avec une casquette. On est à l'heure à ses cours et toute absence longue non justifiée et non signalée par les parents doit se traduire par une sanction comme la suspension des allocations familiales. Au fond, il est inutile d'inventer de nouvelles règles si on ne sait pas faire respecter les dernières.

Restera alors à mettre en œuvre trois mesures, elles aussi indispensables : l'autonomie, le renforcement de l'échelon local, la mise à leur véritable place des syndicats de l'Éducation nationale.

L'autonomie, car je la crois parfaitement adaptée à notre société. Nous devons apprendre à nous faire confiance. Il faut donc donner davantage de responsabilités au chef d'établissement qui doit pouvoir tenir compte de son environnement géographique, social, culturel pour adapter son organisation pédagogique. L'unité est davantage mise en cause par l'uniformité que par la diversité.

Le renforcement de l'échelon local, parce que c'est au plus près des professeurs et des élèves que se prennent les bonnes décisions. Tout ne peut plus se décider rue de Grenelle. Le centre de gravité de la décision éducative doit être les académies, et non plus l'administration centrale.

Les syndicats, parce que leur mainmise complète sur le système achève de le paralyser. Qui peut par exemple accepter que les mutations soient annoncées par les organisations syndicales avant que l'Administration n'ait eu le temps de le faire ?

En ce qui concerne l'Éducation nationale, il vaut mieux n'avoir que quelques priorités, mais avec l'obsession de les mettre en œuvre sans faiblesse et sans délai plutôt que de multiplier des mesures que le nombre rend illisibles. Je demeure convaincu que l'excellence, l'exigence et l'autorité sont les seules directions adaptées pour l'école de la République. Le message est au fond assez simple : que chacun désormais « adapte » sa différence à l'école de la République, car celle-ci à l'inverse ne cédera plus sur ses principes, ses convictions, son idéal. L'école de la République sera la même pour tous. Chacun n'aura donc d'autre choix que de l'accepter.

Épilogue

Il n'est pas un jour qui passe sans que je pense à la France. À ce qu'elle est et à ce qu'elle pourrait être. À la place qu'elle doit occuper en Europe et dans le monde. À ses forces si nombreuses, qui ne demandent qu'à s'exprimer. À ses atouts aujourd'hui tellement bridés. J'ai toujours trouvé juste l'expression « génie français », car elle nous correspond. C'est ce génie qui nous a permis de traverser les siècles en laissant, à chacun d'eux, des œuvres, une pensée, des idées et des réussites intemporelles.

Je ne peux pas me résigner à voir la France déchoir. Je n'accepterai jamais que des talents quittent la France, quand pendant tant d'années ce sont les talents du monde entier qui sont venus chez nous pour créer. Je ne me satisferai jamais de ce que le pessimisme l'emporte, nous qui avons vécu pendant des décennies avec l'idée que nos enfants pourraient faire mieux que nous.

L'idée que la France régresse, que sa voix porte moins, qu'elle ne soit plus un modèle m'est insupportable.

Je veux que la politique cesse d'incarner l'impuissance, parce que c'est ce qui la ronge. L'impuissance contre le chômage de masse. L'impuissance contre l'échec scolaire. L'impuissance contre les déserts ruraux. L'impuissance contre la désindustrialisation. L'impuissance contre l'insécurité.

Je veux que la politique cesse d'être synonyme de renoncement, parce que la fatalité n'est jamais une stratégie. Il n'y a pas de fatalité à ce que nous fassions moins bien que nos partenaires. Il n'y a pas de fatalité à ce que les valeurs de la République continuent de reculer.

Du plus profond de moi, je veux que la politique redevienne une espérance, parce que c'est sa raison d'être. J'ai la conviction que c'est possible. Tant de choses me conduisent à en être certain.

À la fin des années 1990, l'Allemagne était « l'homme malade » de l'Europe. Plombée par sa démographie, confrontée à une grave perte de compétitivité, devant gérer les conséquences de la réunification, elle connaissait à cette époque une augmentation continue du chômage. Il atteignit son niveau historique en 2005, avec plus de 4 millions de chômeurs, soit 10 % de sa population active. Moins de dix ans plus tard, ce taux a été divisé par 2, et l'Allemagne s'est imposée.

Qui peut contester la performance britannique, quand on se souvient qu'à la fin des années 1970 le Royaume-Uni était le premier État européen à être mis dans cette catégorie des pays malades en Europe ? Ou de l'Espagne d'aujourd'hui, qui a récemment trouvé en elle-même les ressorts d'un sursaut de croissance et de création d'emplois sans comparaison avec nos résultats ?

Ce que l'Allemagne a fait avant nous, nous pouvons le réussir, si nous avons la lucidité de prendre les décisions qui s'imposent. Ce doit être notre grande ambition, celle qui doit nous guider, celle qui doit tout structurer. Nous ne manquons pas d'atouts, nous manquons des décisions politiques pour les libérer. Nous bénéficions d'une armée d'entrepreneurs et de chefs d'entreprise, qui est notre première force. Ce qu'ils font dans le numérique nous le prouve, eux qui se sont imposés comme une référence mondiale, attirant des investisseurs du monde entier, développant des applications ou des modèles économiques révolutionnaires. La *French touch* numérique tout comme le succès des expatriés français à l'étranger sont deux des innombrables exemples qui prouvent à quel point nous savons être innovants.

Notre ambition ne doit pas consister seulement à redevenir un leader économique, mais aussi à jouer un rôle décisif en matière de politique étrangère. Les deux sont d'ailleurs liés : la crédibilité économique nourrit la crédibilité politique. Dans ce domaine, la France perd trop de terrain. Elle qui a été, historiquement, l'acteur incontournable se trouve désormais, sur trop de sujets, reléguée au second plan, par manque d'impulsion, d'intuition, d'anticipation, de réactivité, de crédibilité. Notre histoire ne nous porte pas à être à la périphérie des décisions mais en leur centre.

Retrouver l'idéal républicain doit être la troisième composante de notre ambition. La France est une. Elle ne reconnaît aucune communauté. Elle n'accepte pas que le monde rural se sente oublié. Elle refuse les zones de non-droit. Elle ne transige avec aucune composante de son identité. Elle ne renonce à aucune des valeurs qui l'ont façonnée. Elle ne se satisfait pas de ce que l'on vive dans un pays sans vouloir s'y intégrer. Elle refuse qu'on tolère l'assistanat, que l'on mette sur un même plan celui qui fait des efforts et celui qui n'en fait pas.

On ne renouera avec notre idéal républicain qu'en remettant l'autorité, le mérite, le travail, la responsabilité au cœur de notre projet politique. Ce sont ces valeurs qui cimentent le consentement à l'impôt. Ce sont ces valeurs qui font que les règles sont respectées. Ce sont ces valeurs qui font que nous pouvons vivre ensemble.

Cette grande ambition n'est pas coupée du réel. Elle est dans le réel, parce que c'est elle qui conditionne l'amélioration du devenir de chacun. Elle doit nous conduire à porter un projet très fort. Sans un véritable changement économique et social, personne ne peut prétendre pouvoir rendre aux Français le pouvoir d'achat qu'ils ont perdu, réduire drastiquement le chômage des non-qualifiés, accélérer notre mutation économique, bénéficier des possibilités de relocalisation d'emplois industriels que nous offrent la robotique et le numérique, prendre en charge le défi de la dépendance, redonner une réalité à l'intégration, lancer une politique de sauvetage des zones rurales ou mettre fin aux déserts médicaux. Sans un sursaut de notre politique européenne, qui pourra croire que nous réussirons à entraîner nos partenaires dans la réforme incontournable de l'Europe ? Sans un retour rapide à l'autorité de la République, qui pourra lutter contre des formes de délinquance et des comportements qui choquent, qui inquiètent, qui heurtent ?

Pour incarner une espérance, la politique doit renouer avec les résultats. C'est son principal défi. Et, pour cela, elle doit profondément changer. On ne peut plus faire de la politique en se contentant de promettre tout à tout le monde. En partant du principe que l'on peut dépenser toujours plus et inventer chaque jour des droits sociaux nouveaux. En s'inventant en permanence des excuses. En s'abritant derrière de prétendues circonstances atténuantes qui ne sont qu'un refus d'agir. Et surtout en masquant la réalité de nos faiblesses.

Le discours de vérité est la première condition de l'espérance. C'est la raison pour laquelle j'ai souhaité faire l'analyse lucide et sans concession de mon quinquennat. La politique ne consiste pas à inventer des concepts marketing ou à esquiver les débats, mais à parler clairement aux Français. C'est ce que nous devons faire dans les mois qui nous séparent de l'élection présidentielle.

La seconde condition pour que la politique incarne de nouveau l'espérance sera de tirer toutes les conséquences de l'état de la France.

En 2017, la France sera placée dans une situation d'urgence : il faut agir. Nous n'aurons pas le temps d'attendre, et l'essentiel des réformes les plus lourdes devra être engagé le plus rapidement possible au cours de la première année.

Cette urgence à agir imposera de distinguer, tout au long de la prochaine campagne présidentielle, un petit nombre d'engagements essentiels. Le succès français dépendra de notre capacité à nous engager pleinement et rapidement sur les thèmes-clés.

Ces engagements devront répondre à deux exigences. Celle de l'action dans les trois domaines dans lesquels les Français ont le sentiment qu'il y a une impuissance du pouvoir politique : la croissance et le chômage ; l'éducation ; la sécurité. Les réponses devront être franches, et ne plus contourner les questions en faisant de l'habileté un critère supérieur à l'efficacité.

Deuxième exigence, avoir des résultats visibles rapidement sur le quinquennat. En matière fiscale, par exemple, le contre-choc que j'appelle de mes vœux devra être immédiat, et non pas si lissé dans le temps qu'il en perde toute visibilité pour les Français.

Parce que, dans le régime du quinquennat, aller vite est la condition du succès, nous devrons changer la manière dont le gouvernement mettra en œuvre ses réformes. Nous devrons notamment faire évoluer les rapports entre les ministres et leurs administrations. Le gouvernement devra pouvoir compter sur des directeurs d'administration centrale partageant ses orientations politiques. C'est à ce prix que les cabinets pourront être réduits à leur strict minimum, et que les ministres pourront s'appuyer directement sur les administrations. Ce changement, qui pourrait conduire à donner un rang de secrétaires d'État à certains directeurs d'administration centrale, permettra à l'exécutif d'agir plus rapidement, en mettant fin à la coupure qui oppose trop souvent le ministre et son cabinet à l'Administration.

* * *

Ce besoin de rapidité n'est pas une impatience, celle qui si souvent m'a été reprochée. Les Français ne veulent plus attendre. J'ai la conviction que la France est en mesure de redevenir la référence et l'exemple à suivre en Europe. Cette nouvelle ambition dont j'ai tenté de fixer le cap dans ce livre dépasse notre génération, elle nous projette dans l'avenir. Si nous réussissons, ce sont nos enfants et nos petits-enfants qui en connaîtront les bienfaits. C'est à eux que je dois cet engagement. Cette nouvelle ambition n'est pas celle des gagnants contre les perdants, celle du secteur privé contre la fonction publique, celle des villes contre les campagnes, celle des plus jeunes contre les retraités, ou celle des riches contre les plus défavorisés. Elle est une ambition juste. Je veux dire à tous ceux qui souffrent qu'ils ne seront pas les perdants de l'alternance. Je veux leur dire que lorsque je parle de travail, d'école, de sécurité, c'est à eux que je pense. Eux qui sont confrontés au chômage, à l'intérim, aux petits boulots, aux fins de mois difficiles. Eux qui essaient de faire vivre leur famille avec le SMIC. Eux pour qui la fin du mois est une angoisse. Eux qui voient leurs usines fermer. Eux qui se demandent comment faire pour que leurs enfants aient les mêmes chances de réussir que les autres. Eux qui se disent, au fond, que les politiques ne les considèrent pas, ne les entendent pas, ne les regardent pas. Plus que jamais aujourd'hui nous leur devons des actes. L'absence de clarté, l'immobilisme ou la demi-mesure ne font naître que la frustration, la déception et la colère. Croire à nouveau dans l'avenir de leur pays et dans la possibilité de reprendre en main leur destin, voilà ce à quoi aspirent les Français. Cette nouvelle ambition, elle doit être celle de tous. Elle sera aussi la mienne.

* * *

Au moment d'achever ce livre, je repense à la passation des pouvoirs en 2007. Elle me paraît tout à la fois si proche et tellement éloignée. J'arrive au palais précédé par une escouade de motards de la garde républicaine. J'aperçois dans la cour la haute silhouette de Jacques Chirac. Il est digne, seul, élégant. Je suis touché, car je ne peux m'empêcher de penser au jeune Chirac, alors Premier ministre, qui m'avait accueilli dans son bureau pour la première fois en 1975. J'avais vingt ans. Trente-deux ans plus tard, alors que je prends possession de mes fonctions de Président, il doit partir. Je sais qu'il aura du mal à vivre sans la politique. Il est impénétrable. Et pourtant je comprends qu'à ce moment précis il est détruit par l'idée du vide qui l'a toujours hanté et qui explique sa soif d'action. Je pense alors qu'un jour ce sera mon tour.

C'est l'amplitude des choses et l'enchaînement implacable des hauts et des bas qui donnent toute leur dignité à la vie politique en particulier et à la vie en général. C'est une école de volonté, de confiance et d'humilité. Le destin m'a accordé l'immense honneur de conduire la France durant cinq années. Cet honneur m'oblige, pour le restant de mon existence, à rendre aux Français une partie de tout ce qu'ils m'ont accordé. C'est pour cette raison que, quelle que soit ma place, jamais je n'arrêterai de servir la France. Elle est en moi. Elle est toute une partie de ma vie.

Table

Composition et mise en pages
Nord COMPO à Villeneuve-d'Ascq

Cet ouvrage a été imprimé en France par

à La Flèche (Sarthe)
en janvier 2016

N° d'impression : 3016004
Dépôt légal : janvier 2016